L'EXÉCUTEUR

PLUIE DE SANG SUR HOLLYWOOD

DÉJÀ PARUS

DON PENDLETON

L'EXÉCUTEUR

PLUIE DE SANG SUR HOLLYWOOD

Photo de couverture : PICTOR INTERNATIONAL

ISBN 2-258-02167-7

CHAPITRE PREMIER

— Ouais ! j'arrive !

Tonito Varga quitta la paillasse luisante de crasse qui lui servait de lit et, renversant diverses choses sur son passage, il gagna la porte bardée de monstrueux verrous. Grattant les croûtes qui envahissaient son crâne au milieu de maigres cheveux gras, il grogna, mauvais :

— Qui c'est ?

— Manny, merde !

Le dernier mot ne constituant évidemment pas le patronyme du visiteur. Celui-ci s'appelait Carrare. Manny Carrare. Son job : livreur. Ses produits : la drogue. Sa spécialité : le crack.

— Magne toi, connard ! s'énerva Carrare.

Varga tira les six verrous, recula pour laisser entrer le type. Ce dernier, un grand mince à gueule d'ange, fit la grimace en détournant ses yeux de charmeur latin.

— Ça pue, siffla-t-il entre ses dents serrées.

Tonito Varga était sans doute le *Chicano* le plus laid de toute la colonie mexicaine de Los Angeles.

Et le plus sale aussi. Au point que même les rats avaient fini par fuir l'infâme gourbi qu'il squattait. Une seule pièce. Une sorte de hangar en fond de cour, à l'extrême sud de Back Bay Esplanade. Un local où s'entassaient tous les produits de ses diverses rapines. Mais le décor aurait pu passer... s'il n'y avait eu l'odeur. Un mélange de sueur, d'urine, de crasse et de panaris. Car Tonito s'infectait de partout. Ses globules étaient aussi flemmards que lui. Toujours à ne rien faire. Alors, forcément, chez Tonito, le moindre bobo menaçait de s'achever en septicémie.

Un ensemble de données qui incommodait énormément Manny Carrare. En effet, bien qu'étant sans doute une des plus belles ordures de la pègre californienne, le mince Latino-Américain avait l'odorat fragile et craignait davantage les microbes que les flics. Il faut dire que les flics, son big boss les avait tous achetés. Ou presque tous. D'ailleurs Dino « Star » Fracco achetait tout le monde. Il y mettait toujours le prix. Sauf quand ça devenait trop cher. Dans ce cas extrême, il devait se résigner à faire flinguer l'incorruptible.

— T'as le fric ?

La voix de Carrare était cassante. Il détestait venir chez Tonito. A cause de l'odeur et des microbes. Mais il fallait bien bosser. Le petit Chicano gratta une nouvelle fois ses croûtes sous le regard écœuré de Carrare.

— C'est que, hésita Tonito, justement, j'ai pas fini de fourguer ta dernière livraison, Manny. Alors, je me disais que...

— Rien à foutre, coupa Manny, dégoûté. Tu connais les conditions. Une livraison par semaine. Le boss est ferme là-dessus. Et tu sais ce que ça veut dire, quand le boss décide.

Tonito savait. Quand on marchait avec cette équipe-là, on ne pouvait jamais faire machine arrière. Sauf en mourant. Or, malgré son âme toute noire, malgré son corps repoussant et toutes ses petites misères d'infections, Tonito Varga n'avait pas du tout envie de mourir. Il en avait même une peur bleue. Alors, quand Manny venait avec sa cargaison de crack, il l'achetait. En se disant que, cette semaine, il dormirait un peu moins et fourguerait davantage de cette saloperie à ses petits connards de clients. En sachant qu'il les tuait un peu plus à chaque fois. Mais ce n'était pas son problème. Au contraire. Plus il en crèverait, de ces cons, plus il supporterait lui-même toutes ses douloureuses tares de *Chicano* laid et souffreteux.

— Donne vite !

Manny s'énervait. Il avait déjà posé l'attaché-case noir sur la grande caisse qui servait de table. Avec des gestes heurtés, il en vidait le contenu. Une dizaine de sacs en plastique bourrés de « rocks », ces cristaux bruns qui ressemblaient à des cailloux. Le crack. La plus belle saloperie jamais inventée en matière de drogue.

— Vite !

Cette fois, Manny avait presque crié. La peur de l'infection le rendait fou. Alors, comme d'habitude, Tonito alla fouiller sous sa paillasse, revint avec une grosse liasse de dollars qu'il tendit à regrets.

— Là-dedans.

Manny désignait l'attaché-case à présent vide. Pour rien au monde, il n'aurait lui-même touché le fric. D'ailleurs, inutile de vérifier. Personne n'aurait été assez dingue pour arnaquer un type de « Star » Fracco. A moins d'être complètement suicidaire.

— A la semaine prochaine, lâcha Manny en refermant le bagage.

Puis, sans autre commentaire, il quitta précipitamment ces lieux pollués. Le dégoût et le timing. Il avait encore une livraison à faire. La dernière des six de son circuit du mardi. Une tournée différente tous les jours. Au total, quarante-deux revendeurs. Mais Manny Carrare n'était pas l'unique distributeur de « Star » Fracco. Pour la seule ville de Los Angeles, ils étaient plus de cent vingt. Une véritable armée pour alimenter plus de cinq mille dealers, eux-mêmes fournisseurs d'environ cent mille clients. Soit à peu près une tonne de crack, ventilée chaque semaine sur la Californie.

Quand on sait qu'un gramme donne quatre « défonces », et que dix prises suffisent pour être « accro »...

Mais, pour Tonito Varga, le problème n'était pas là. Il haïssait tous les gringos. Alors, plus le crack en bousillerait, plus il serait heureux.

Avec un soupir de soulagement, il fourra les sachets de « rocks » sous sa paillasse, se laissa retomber dessus en grognant d'aise et souffla la lampe à pétrole, seule source d'éclairage du taudis. Mais, alors qu'il fermait ses yeux gonflés de conjonctivite purulente, on frappa de nouveau à la porte. Fou de rage d'être redérangé, il hurla d'une voix rèche :

— Qui c'est !

— Manny, merde !

Cet enfoiré avait dû oublier un truc. Tonito jura, s'arracha du grabat et, se grattant encore plus furieusement le crâne, il alla une nouvelle fois tirer les six verrous.

— Qu'est-ce que t'as oub...

Tonito Varga n'en dit pas davantage. Il eut à peine le temps de voir le noir canon jaillir vers son front, et il n'en sentit même pas le froid. Sous son crâne croûteux, il y eut un formidable éblouissement, une fulgurante douleur à la fois brûlante et glacée... puis plus rien.

Avec sa cervelle répandue tout autour de lui et quelques morceaux de crâne croûteux éclatés dans une mare de sang, Tonito Varga était mort comme il avait vécu. Salement. Trop salement, sans doute, pour celui qui venait de le tuer. Un instant plus tard, la main gantée de noir qui avait tenu l'arme renversait la lampe à pétrole. Elle se brisa au sol, répandant le liquide inflammable. La haute silhouette noire craqua une allumette, la jeta dans la flaque qui se répandait sous le grabat. Cela fit un léger « plouf », puis, d'un coup, le taudis et son contenu furent transformés en brasier.

Les microbes de Tonito Varga avaient désormais du souci à se faire.

— Vos gueules, bordel !

Celui qui avait lancé ça entre ses dents était le chef de la petite bande. Sept en tout, avec Marilyn. Une brunette, plutôt jolie, moulée dans ses jeans comme des doigts dans un gant. Les cinq autres jeunes zonards, ombres furtives dans la nuit, se turent brusquement. Quand Charlie se foutait en rogne, il valait mieux ne pas jouer au con. Et quand Charlie était avec sa gonzesse, il était toujours sous pression. Justement, celle-ci ne devait pas prendre les ordres de son mec à son compte. Elle souffla :

— T'es sûr, Charlie ?

— Ta gueule !

Bien sûr que Charlie était sûr. Il avait repéré les lieux depuis longtemps. Il connaissait l'impasse comme sa poche et savait que, pour répondre aux impératifs de sécurité, la porte métallique n'offrirait pas de résistance. Simple fermeture intérieure à loquet, entre les deux battants, un mince espace libre. Une lime à ongles ou une lame de couteau suffiraient. D'ailleurs, quel que soit le système de verrouillage, Charlie serait entré dans le ciné. Par la porte de secours. Par principe, il n'avait jamais payé une seule place de ciné. Et, depuis tout môme, il avait vu tous les films projetés dans cette bon Dieu de putain de ville.

Quand on connaissait le nombre de salles à Los Angeles...

— Go !

Charlie venait de faire basculer le loquet. Il poussa le battant et, précédant sa petite troupe, il pénétra dans les parties communes du cinéma. Dans son dos, une voix s'éleva :

— On l'a déjà vu trois fois, ce putain de film !

— Ta gueule.

« Ta gueule » et « *shit* » étaient les deux formules préférées de Charlie. Peu loquace de nature, il préférait la cogne ou le couteau au verbiage. Question de nature.

Un instant plus tard, parvenus séparément dans la salle, ils se mirent tranquillement à déguster les exploits musclés d'un Schwarzenegger toujours très en forme.

Exactement une heure quarante plus tard, ils quittèrent la salle encore plongée dans l'ombre. Par le même chemin. Pas question de se faire repérer, car Charlie comptait bien renouveler l'opération. Dehors, ils se mirent à déambuler, sans très bien savoir de quel côté diriger leurs pas. Tendus, ils fouillaient les vitrines de leurs yeux voraces, mais il était encore trop tôt pour tenter un casse de boutique. D'ailleurs, dans ce coin de Venice District coincé entre l'aéroport de Hughes et l'échangeur de l'interstate 405, les voitures de flics patrouillaient sans arrêt.

Et puis, ce soir, Charlie n'avait pas envie d'action. Curieusement, depuis leur sortie du cinéma, il n'était tenaillé que par un seul désir. La défonce. Pas au joint. La vraie défonce. Celle qui envoie au paradis pour un moment. Par exemple, une bonne ligne de coke... ou un « rock ».

C'était ça ! Un bon rusch-crack !

Le voyage vertigineux. En quelques secondes, le paradis.

— Charlie ?

— Quoi !

Charlie détestait qu'on vienne troubler ses pensées. Surtout quand c'était une gonzesse qui commettait ce sacrilège. Charlie était troublé. Jusqu'alors, le trip au crack ne l'avait guère intéressé. Il savait que c'était dangereux. Que l'accoutumance intervenait très vite et que le consommateur « accro » devenait dingue. Au point d'assassiner sa propre mère. Comme c'était récemment arrivé à un lycéen de New York.

— Charlie ?

— Qu'est-ce que tu veux, bordel !

Charlie s'était arrêté au bord du trottoir, fixait un regard incendiaire sur la fille. Hésitante, alors que les autres faisaient cercle autour d'une Corvette flambant neuve garée tout près, elle n'osait encore dire ce qui la tarabustait. Finalement, n'y tenant plus, elle finit par lâcher :

— Si on se faisait un rush ?

— Comment ça, un rush ?

Elle hésita encore, avant de lancer, pleine de défi :

— J'ai envie de crack. Pour un vrai rush. Un vrai grand rush grandiose. T'as quelque chose contre ?

Interdit, il la regarda mieux. Elle avait la sueur

au front et quelque chose dans son regard était changé. Un feu nouveau s'y était allumé. Dur, violent. Elle qui, jusqu'alors, ne s'était hasardée qu'à quelques rares et brèves « lignes », juste avant de faire l'amour. Comme lui, elle venait d'avoir envie de crack. Etonnante coïncidence.

— Eh, vous autres, appela Charlie. Amenez-vous un peu par là.

Là, c'était un recoin d'immeuble bien sombre, un peu à l'écart de l'avenue. Ayant réuni sa troupe, Charlie adopta un ton confidentiel pour déclarer :

— Ce soir, on va se faire un trip génial.

Il laissa ensuite planer un temps de suspense, avant d'assener :

— Un rush-crack.

Les cinq autres ouvrirent de grands yeux incrédules, mais quatre furent immédiatement séduits par la proposition. Quatre seulement. Nick, un petit gros au visage encore poupin, secoua sa tête aux cheveux ras. Celui qui détestait voir un film plusieurs fois. D'ailleurs, à partir de la deuxième fois, il dormait toujours.

— Pas pour moi, Charlie.

Le chef lui lança un regard en biais.

— Comment ça, pas pour toi ?

Têtu, l'autre continuait à secouer la tête. Malgré sa crainte de Charlie, il tenait bon. Encore plus peur du crack que du chef voyou.

— Pas question, insista-t-il. J'ai pas envie de me péter la tête contre les murs. Ce machin, tout le monde dit que ça rend dingue.

— Oh, ta gueule !

Maintenant, les autres s'en mêlaient. Ils étaient d'accord avec Charlie. Un seul rush-crack, ça n'avait jamais tué personne.

— C'est les flics qui disent ça, fit valoir l'un d'eux. Pour nous emmerder.

— Ecrase, coupa Charlie, mauvais. Et puisque t'as bien dormi pendant le film, t'es pas fatigué. Alors, c'est toi qui vas aller voir Tizzi. Et, poursuivit-il, un sourire bien sadique aux lèvres, comme ton vieux est toubib et qu'il te file plein de fric, c'est même toi qui vas raquer.

— Ecoute, Charlie, tenta Nick, ce truc, c'est la mort. Tu devrais pas...

— Je devrais pas quoi ?

La face de rat teigneux de Charlie s'était brusquement fermée. Une seule fois, un ancien de la bande lui avait tenu tête. Maintenant, outre le fait qu'il ne faisait plus partie du groupe, le gars en question portait une prothèse dentaire.

— OK, finit par abdiquer le gros Nick. On se retrouve où ?

— Au grand bordel.

Le grand bordel était un loft crasseux, où, parfois, Marilyn ou les autres filles de la bande emmenaient leurs clients pour de brèves amours tarifées... et très, très clandestines.

Car Marilyn n'avait pas tout à fait quinze ans.

Et Charlie, son mac, venait d'en avoir dix-sept.

CHAPITRE DEUXIEME

La Pontiac berline Parisienne ne risquait pas d'ennuis avec la police. Comme toujours, au cours de ses tournées, Manny Carrare exigeait une allure de sénateur. Et son chauffeur-gorille ne risquait pas de désobéir. Sous ses dehors de beau gosse, Manny était un vrai dingue. Autrefois, avant sa promotion dans la came, il avait été le garde du corps favori de Dino « Star » Fracco. Des imprudents, il en avait personnellement flingué quelques-uns. Et puis, dans la berline, près de Carrare, il y avait aussi Bo. L'âme damnée de Manny. Celui qui l'avait suivi depuis le début. Un tueur sadique qui se serait fait découper en morceaux pour son *luogoteniente*. Canale, le chauffeur, n'avait jamais connu le vrai nom du géant. Il savait seulement que Bo tirait comme personne et que, dans ses manches, il avait toujours ses saloperies de rasoirs. Des trucs à manches en os, ramenés de Sicile par son barbier de grand-père, et qu'il avait fauchés, le jour de l'enterrement du vieux. Un sentimental, Bo. Un oncle avait ensuite osé faire valoir ses droits. Bo lui avait laissé entendre que s'il devait lui rendre les précieux objets, ce serait en lui ouvrant les tripes avec. Il n'avait plus jamais entendu parler des rasoirs par aucun membre de son interminable famille.

— On arrive.

L'avertissement émanait du chauffeur. Manny Carrare saisit la poignée du dernier attaché-case de sa tournée, lança un long regard à travers les vitres fumées et blindées de la voiture.

Rien de particulier. Il ne se passait d'ailleurs jamais rien. La Pontiac venait de quitter la Dual Thoroughfares N° 1 et abordait Venice District par Victoria Avenue. La boutique de fringues de Tizzi était juste à l'angle. Un immeuble en briques grises, avec des enseignes partout. Celle de Tizzi en jetait vraiment. Des lettres géantes en néon, orange, clignotantes, éblouissantes. Sans lunettes noires, personne ne pouvait la fixer du regard plus de cinq secondes. Carrare se demandait comment Tizzi avait pu imaginer un tel repoussoir publicitaire.

— On fait le tour, ordonna-t-il.

A cette heure, la boutique était fermée. Il fallait passer par la cour. La Pontiac vira dans Carlton Way, revint par une rue transversale complètement déserte, avant de ralentir devant une palissade aux affiches arrachées. Dix mètres plus loin, l'entrée de la cour.

— On fait un passage, lança encore Carrare.

Non pas qu'il fût particulièrement inquiet. Simplement, il avait pris l'habitude d'être exagérément prudent. Dans son activité, on ne vivait vieux qu'à cette condition. La Pontiac reprit de la vitesse, passa devant l'entrée de la cour. Carrare tendit le cou, ne remarqua rien d'anormal. Et comme Bo hochait la tête en signe de satisfaction, il fut complètement rassuré.

— OK, jeta-t-il au chauffeur. Arrête.

La rue était quasi déserte et l'éclairage parcimonieux donnait aux façades des airs de décor de film noir. Avec les automatismes de la routine, Bo jeta un dernier regard circulaire à travers les glaces et descendit en premier. Mains dans les poches de son ample veste de gabardine, il avait les index posés sur les détentes de deux énormes Colt Government. 45 ACP. Prêt à tout. Carrare pouvait être tranquille. Il ne connaissait personne capable de tirer aussi vite et aussi juste que Bo. Or, aucun ennemi ne se montrait à l'horizon. Il n'y avait qu'un gamin en blouson et jeans, très loin, qui venait vers eux en shootant avec application dans une boîte de bière vide. Sur un signe de Carrare, Bo le précéda, tandis que, glace de portière abaissée et cigarette aux lèvres, le chauffeur de la Pontiac surveillait discrètement le périmètre. L'un derrière l'autre ils entrèrent dans la cour encombrée de caisses et de palettes de chargement. Suspendue à son fil, une grosse ampoule jaunâtre dispensait un éclairage frémissant. L'endroit était sinistre et Manny se demandait comment des gosses pouvaient venir ici chercher leurs doses de faux rêves. Mais Manny Carrare n'avait rien à fiche que des milliers de gamins sombrent dans la folie et le crime à cause de lui et de ses semblables. Lui, comme tous les autres de son espèce, n'était en fait qu'un commerçant plus malin que le commun des mortels. De toute façon, on était fait pour mourir. Alors, que ce soit vieux ou à quinze ans... du moment que ce n'était pas lui...

D'un signe de tête, il invita Bo à frapper à l'unique porte du rez-de-chaussée. Avec Tizzi, il n'avait pas vraiment confiance. Le dealer noir était lui-même drogué jusqu'à la moelle et c'était un violent. D'où la nécessité de faire entrer Bo avec lui.

A la troisième tentative, ils perçurent un râclement derrière la porte, suivi d'une voix molle :

— C'est qui ?

Le ton n'était pas vraiment agressif. Tout allait bien. Manny Carrare se fit connaître et Tizzi protesta mollement :

— C'est pas le moment, Manny !

— Ta gueule, grogna Bo. Ouvre.

De mauvaise grâce, le Noir obéit. Bo le repoussa à l'intérieur d'un couloir tapissé de pages de Play-Boy et de Penthouse, puis d'un vaste studio où une odeur d'encens prenait à la gorge. Au centre de la pièce uniquement éclairée de bougies savamment disposées, un immense lit rond, bourré de coussins de soie. Enfouie dans les coussins, une superbe Noire, complètement nue, les regardait tranquillement.

Manny comprenait la mauvaise humeur de Tizzi. Avec un châssis pareil dans ses draps, on n'avait pas envie de parler affaires.

— Dis à ta gonzesse de disparaître, ordonna-t-il.

Pour toute réponse, le grand Noir siffla brièvement entre ses dents. Docile, la fille quitta alors le lit. Superbe d'impudeur tranquille, elle passa dans la salle de bains et Bo, toujours professionnel, se planta devant le battant dans une garde immobile.

— Le fric, lança Manny.

Sans un mot, le marchand de fringues fit basculer un panneau du bar qui occupait tout un mur. Un pan de velours rouge pivota, révélant la porte d'un petit coffre-fort. Il en fit jouer la mollette à combinaison et l'ouvrit. Dedans, des tas de choses, y compris un empilement de petits tubes en plastique transparent. Les « rocks ». Les cailloux de crack. Il n'avait donc pas vendu toute la livraison passée.

— Faudrait voir à passer le braquet supérieur, fit sèchement remarquer Carrare. Ils sont tous comme des dingues à chercher du crack partout, et toi, t'en as encore plein ton coffiot.

Un petit sourire désabusé passa sur les lèvres épaisses du Noir.

— T'inquiète, Manny. J'ai été obligé de m'absenter. A cause de mon vieux. Il est pas bien.

Manny tiqua :

— T'es sentimental, maintenant ?

Nouveau sourire de Tizzi.

— Le vieux con a économisé toute sa vie. Il a du fric. Alors, je fais en sorte qu'il ne m'oublie pas sur son testament.

Manny ne put retenir un petit rire, tandis que le Noir lui remettait une épaisse liasse de dollars. A cet instant, il y eut un léger bruit provenant de la cour.

— Qu'est-ce que c'est ? cracha Manny en se crispant.

Déjà, les deux énormes 45 étaient apparus dans les mains de Bo. Le gorille était vraiment d'une rapidité stupéfiante. Tizzi haussa lentement ses maigres épaules noueuses et calma la situation.

— Les chats, grogna-t-il en faisant sauter les serrures de l'attaché-case. Cette putain de cour est truffée de chats.

Mais Tizzi se trompait. A cet instant, il n'y avait pas un seul chat dans la cour. Il n'y avait qu'un gamin. Très jeune, un peu trop gros, un peu trop maladroit aussi. En pénétrant dans la cour, il avait heurté un empilement de caisses et l'une d'elles avait glissé en grinçant. Le jeune Nick, puisqu'il s'agissait de lui, eut le temps d'arriver presque jusqu'à la porte de Tizzi, de penser que la caisse avait émis un miaulement de chat, avant de recevoir le monde sur le crâne.

— T'attends du monde ? questionna Carrare, méfiant.

— J'attends juste que tu te barres, laissa tomber Tizzi en enfournant la nouvelle cargaison de « rocks » dans son coffre.

En effet, dans la salle de bains, la fille devait commencer à se faire vieille.

— Ça va, fit Carrare. On se tire.

Il venait de faire signe à Bo et amorçait un

mouvement vers le couloir, quand la porte du studio fut violemment rejetée contre le mur.

— Bo !

Carrare avait crié. Réflexe. Mais il était déjà trop tard. Le grand diable en noir arrosait. La mini-Uzi à réducteur de son cracha son message de mort. Carrare encaissa en premier. La moitié du chargeur. Un peu dans la tête, un peu dans le thorax. Des morceaux de crâne accompagnés de matière cervicale giclèrent sur les murs, souillant le beau velours rouge, inondant la robe de chambre de Tizzi au passage. Tétanisé, le Noir n'eut pas le temps de comprendre. Dans la même seconde, il encaissa cinq projectiles en pleine poitrine. L'un d'eux lui fit éclater le cœur, avant de ressortir dans son dos, entraînant des lambeaux de chair qui allèrent rejoindre ceux de Carrare sur le velours. Il s'écroula dans les casiers à bouteilles du bar en émettant un étrange chuintement d'agonie.

Mais l'Exécuteur ne songeait plus à lui. Deux formidables détonations venaient d'exploser. Il ne s'agissait pourtant pas des 45 de Bo, mais du redoutable AutoMag de Bolan. A son entrée, en moins d'une demi-seconde, il avait analysé la situation, arraché de la main gauche l'énorme automatique de son holster et tiré deux fois. Devant la porte de la salle de bains, Bo avait fait un véritable bond d'acrobate. Il n'avait pas eu le temps de tirer lui-même, qu'une des balles de Bolan lui faisait éclater le côté gauche de la tête. Une seule balle. Car, rendu imprécis par les tressautements de la mini-Uzi, l'Exécuteur n'avait pu concentrer parfaitement ses tirs. D'abord, à cause de la pénombre, il crut avoir tué Bo tout net, et, ce fut en le voyant plonger sur la porte de la salle de bains qu'il réalisa. Miraculeusement seulement blessé, Bo tira deux fois à son tour. Mais, aveuglé par la douleur et le sang qui inondait son visage, il n'avait pu ajuster Bolan. Ce dernier n'eut pas le temps de tirer de nouveau. Bo avait disparu derrière la porte. L'Exécuteur fit aussitôt pivoter le canon de la mini-Uzi, mais, alors que son index allait écraser la détente pour vider le chargeur dans cette direction, un cri de femme résonna :

— Arrêtez !

La fille nue. La copine de Tizzi.

Il y eut ensuite un bruit de verre cassé. Bolan comprit que Bo prenait la fuite. Sans importance. Il ramassa l'attaché-case tombé à terre, mais il était trop souillé pour l'emporter. Alors, Mack Bolan l'ouvrit, empocha la liasse de dollars et, allant vers le coffre, il décrocha une des grenades défensives de sa ceinture de combinaison noire. Dans le coffre, il prit l'argent, préleva un « rock » sur le stock de crack que Tizzi y avait déjà entreposé, enfourna enfin la grenade en la dégoupillant. Puis, d'un geste vif, il claqua la porte du coffre, gagna celle de la cour en criant en direction de la salle de bains :

— Ne sortez pas tout de suite.

Il émergeait à peine dans la cour qu'une sourde explosion faisait trembler l'air ambiant. Un sourire sans joie erra sur ses lèvres, tandis qu'il accrochait la mini-Uzi sous l'imper léger qui recouvrait la combinaison noire.

Pour ce stock de crack, c'était cuit.

Il abaissa les yeux sur le gros petit zonard qu'il avait été obligé d'assommer pour l'empêcher d'entrer se faire massacrer avec les autres, le vit qui commençait à revenir à lui. Et, comme il avait encore quelque chose à faire, avant de s'en occuper, il lui envoya un petit coup sec du tranchant de la main, derrière la nuque.

— Pas bouger, souffla-t-il, ironique.

Puis il quitta tranquillement la cour, fit quelques pas silencieux vers la Pontiac, dont la radio braillait. Au volant, le chauffeur n'avait rien perçu du drame qui s'était joué tout près. Parfaitement détendu, un bras à la portière, il attendait le retour des deux autres. Soudain, une grande ombre noire fut à sa hauteur. Il leva des yeux surpris, eut le temps d'apercevoir le trou noir d'un réducteur de son, avec, en arrière plan, un visage granitique et un regard gris et glacial.

Puis il ne vit plus rien.

Accompagnée de son « floup » caractéristique, la 9 mm du sinistre Beretta lui fit exploser une partie du front et de la tempe, emportant l'œil gauche dans sa course folle.

L'Exécuteur se pencha à l'intérieur du véhicule, actionna l'ouverture de la malle arrière. D'un regard circulaire, il vérifia que personne ne l'observait. Un instant plus tard, les dollars des cinq attachés-cases contenus dans le coffre avaient changé de propriétaire.

Trésor de guerre.

Bien que le gramme de crack fût vendu dix fois moins cher que celui de cocaïne, cela laissait quand même un joli bénéfice. Que l'Exécuteur allait bien vite convertir en monnaie de plomb.

Tranquille, il retourna dans la cour où, étrangement, l'explosion du coffre n'avait attiré aucun curieux. Sans doute trop assourdie par l'épaisseur de l'acier. Le jeune zonard était toujours allongé entre ses piles de caisses et de palettes. Il le chargea sur son épaule comme un vulgaire sac et alla l'enfermer dans la cabine sanitaire du char de guerre stationné un peu plus loin. Plus tard, Mack Bolan arrêta le van à l'angle de Rialto Avenue. Il sauta à terre, entra dans un drugstore, y acheta un puissant vomitif et quelques autres produits très particuliers de la pharmacopée et réintégra le van. Encore plus tard, garé sur un parking de Marine Park, il se livra à quelques manipulations assez simples sur le « rock » subtilisé dans le coffre de Tizzi et alla délivrer son jeune prisonnier.

— Ça va mieux ? demanda-t-il.

Assis sur la lunette des toilettes, le gamin leva sur lui des yeux effrayés. Blanc comme un linge, il semblait sur le point de sombrer de nouveau dans l'inconscience. Complètement paniqué, il se contenta de hocher la tête. Bolan lui sourit.

— Tu racontes, et tu files. OK ?

L'autre parut ne pas comprendre, puis, d'un coup, son regard se voila. D'une voix sourde, il laissa tomber :

— Flic, hein ?

— Non, sourit Bolan. Les flics ne tuent ni les dealers, ni les trafiquants. Moi, je les ai tués. Tizzi et les autres.

— Hein !

Brusquement plus pâle, le jeune Nick ouvrit des grands yeux incrédules. Mais, incapable de prononcer un mot de plus, il se contenta de se mettre à trembler.

— Raconte, insista l'Exécuteur. Je veux tout savoir.

Alors, Nick parla. Il raconta tout. Depuis leur entrée clandestine dans le cinéma, jusqu'à son arrivée dans la cour de Tizzi. Quand il eut fini, il laissa tomber, fataliste :

— Charlie ne me croira jamais.

Bolan sembla réfléchir, se fouilla, lui tendit enfin le tube en plastique contenant le « rock ».

— Prends ça. Tu n'auras qu'à dire que Tizzi était en rupture de stock. Mais dis à Charlie de faire gaffe. Ce truc, c'est vraiment la pire merde jamais inventée. D'ailleurs, vous verrez bien.

Complètement dépassé, Nick finit par empocher le tube.

— Maintenant, ordonna Bolan, fiche le camp.

Nick s'éjecta du van comme s'il s'échappait de l'enfer. Par le circuit vidéo, Bolan suivit sa course effrénée et le vit disparaître. Tandis qu'il remettait le moteur du char de guerre en marche, un sourire, un vrai, égaya un instant sa face de guerrier solitaire.

Finalement, il ne détestait pas la plaisanterie.

CHAPITRE TROISIEME

— Tu as fait quoi ?

Phil Necker regardait Bolan en dessous. Réunis devant un énorme Bens arrosé de Coca-Cola, ils s'apprêtaient à faire le point et Bolan venait de relater les derniers événements, notamment, l'épisode du jeune Nick.

— Qu'est-ce que c'est que ce mélange ? insista Necker.

Bolan eut un petit sourire rêveur.

— Une formule très simple. Fournie par Herman. Un mélange détonant de vomitif, de diurétique, d'activateur intestinal et d'un lénifiant dont la propriété principale est de relâcher provisoirement tout le système musculaire. Y compris les sphincters.

Une lueur malicieuse passa derrière les lunettes métalliques de la taupe fédérale.

— Tu veux dire que ces petits cons ont tout eu en même temps ?

— Tout, s'amusa Bolan. Ceux qui ont pris de mon « rock » ont plongé dans un trip démentiel qui les a rendus malades comme personne ne peut l'être autant de partout à la fois. Chacun a pu alors se rendre compte des dégâts occasionnés par cette saloperie. Non seulement ils se sont tous vomi dessus, mais, en plus, les jeans ne devaient pas être beaux à voir.

Necker éclata de rire. A sa manière. C'est-à-dire qu'il émit un bref croassement avant de redevenir sérieux comme un prélat.

— Sacré prestige, pour une bande de durs en herbe, commenta-t-il. Et les effets de tes additifs durent longtemps ?

— Aussi longtemps que le sang ne les a pas éliminés. Ça peut durer plusieurs heures. Un peu comme une crise de foie carabinée. J'aurais voulu voir ça.

— *Shit*, grogna Necker. Tu as fait fort.

— Pas suffisamment, fit songeusement l'Exécuteur en reposant son verre de J.B. J'aurais voulu les rendre malades pendant des semaines. Pour leur enlever à tout jamais l'envie de tenter le diable.

Necker le regarda de nouveau en-dessous.

— Tu sais bien que ça n'aurait servi à rien, Mack.

Bolan hocha tristement la tête.

— Je sais. Rien de tout ça ne saurait suffire. Il faut frapper à la source. Encore et encore. Jusqu'à la fin, ajouta-t-il d'un ton fataliste. Pas la leur. La mienne.

— La nôtre, corrigea Necker avec un sourire timide. Tu n'es plus tout seul, Mack.

— Je sais. Il y a toi, Herman, Politicien et Jack. Plus quelques flics intègres qui n'y pourront jamais rien. Le crime est vieux comme le monde, Phil. Il ne disparaîtra qu'avec lui.

— Et encore... murmura Necker.

— Ouais ! bon, la philosophie, ça suffit, fit Bolan en repoussant son assiette. Tu as du nouveau ?

Le remplaçant de Léo Turrin à la *Commissione* fit la moue.

— Oui et non. Les indiscrétions sont extrêmement rares. Même le vieux Franck Marioni reste muet. Il a pourtant confiance en moi, fit valoir Necker, avec de l'ironie dans les yeux. En général, on ne se méfie pas de celui qui vous a sauvé la vie. Mais il la boucle. Le truc doit être hypersensible.

— Es-tu au moins certain qu'il y ait bien un truc ?

— Affirmatif. Une affaire si grosse que, quand on la connaîtra, on n'y croira qu'à peine. C'est à l'échelle nationale, vieux. Peut-être même internationale. Et c'est assez gros pour que la *Commissione* en ait peur elle-même. A mon avis, c'est un plan émanant directement du *Protector*.

— En principe, en tant que super-capo de la *Commissione*, le vieux Marioni devrait quand même être au courant.

Le fédéral secoua la tête.

— Pas forcément. Seuls, les hommes du *Protector* peuvent être dans le coup. Je veux dire, au courant de tout.

— Comment ça ?

— Si l'opération est énorme et que le *Protector* se méfie des fuites, il peut ne donner que certains éléments de cette affaire à certains *capi*. Seulement lorsqu'il aura besoin de leurs services sur place. Et ceci, par la seule intermédiaire de ses hommes du *Protector*. Ce qui n'implique pas forcément que la *Commissione* soit informée.

Bolan plissa ses yeux froids.

— Tu veux dire que le *Protector* aurait dans l'idée de créer une mafia parallèle ?

— Tu as tout compris. Une vraie mafia souterraine. Complètement indépendante de l'autre, et qui ne recourrait aux bons offices de cette dernière qu'en cas de nécessité ponctuelle. Mais cette structure parallèle ne se justifie que si le *Protector* estime l'affaire en question trop « sensible » pour les *amici* de la mafia classique. Ce que je ne crois pas pour le moment. Je pencherais plutôt pour une super-*Commissione* à la dévotion du *Protector*. Une *Commissione* hyper-prudente, qui ne distillera ses ordres qu'au compte-gouttes. Quand le moment sera venu.

La taupe fédérale sourit tristement, avant de reprendre :

— Il ne te reste plus momentanément que la guerre classique. Le harcèlement. Je t'ai apporté la liste des nouveaux *capi* mis en place depuis ton dernier blitz sur L.A. J'espère que tu en feras bon usage, grogna-t-il en avalant son JB.

A cette heure-là, ça ne valait pas une coupe de Moët et Chandon.

Une nouvelle fois, des éclairs de malice avaient

fulguré derrière les lunettes de Phil Necker. Bolan sourit. S'il y avait un homme qui ne doutait pas du bon usage fait par lui de ses renseignements, c'était bien le fédéral.

— T'en fais pas pour ça. Et file-moi ta liste, grogna Bolan. Mais gare à tes os. Si Marioni apprenait...

Necker le coupa de son rire bref de corbeau.

— Arrête ! grinça-t-il. Tu vas me faire peur.

Bolan observa son ami avec insistance. Au sommet de la *Commissione*, ce type-là était exactement dans la situation du campeur qui aurait décidé de partager son sac de couchage avec une brassée de crotales, de scorpions et de mygales. Et, bizarrement, il ne semblait avoir peur que d'une chose... de prendre l'avion.

Il le prenait quand même.

Décidément, les amis de Mack Bolan étaient des types à part. Necker lui tendit une enveloppe en soupirant :

— Au moins, si je n'ai rien de nouveau, tu pourras quand même faire un peu de ménage par ici.

Bolan se leva en fourrant l'enveloppe dans sa poche.

— Ça ne sera pas du luxe, dit-il.

Puis les deux hommes se serrèrent la main et se séparèrent. Ils livraient la même implacable guerre au tentaculaire monde du crime, mais leurs routes ne faisaient que se croiser. Parfois. Bolan était un loup solitaire, Necker était la taupe.

Deux destinées, aussi dangereuses l'une que l'autre.

— Alors, c'est toi, hein, le porte-flingue de Manny. C'est bien toi. Et tu dis que tu t'appelles... comment, déjà ?

Bo ne pouvait détacher ses yeux du gnome qui l'interrogeait. Une véritable attraction de cirque, ce nain. A cette différence près que cet humain modèle réduit, à la face tannée et ridée comme un pruneau, ne donnait pas envie de s'amuser. Car, aussi moche qu'il soit, Dino « Star » Fracco n'en était pas moins le boss suprême du « département » stups de Los Angeles. Le *capo* de feu Carrare. Un nabot, dont on disait qu'il avait quand même étranglé un de ses *luogotenienti* de ses propres petites mains. Ses portes-flingues avaient sans doute dû immobiliser le lieutenant en question. Du moins, c'est ce que pensait Bo en ce moment.

— T'as entendu, pédé ?

De saisissement, l'immense Bo faillit éclater de rire. Pédé ! Lui ! Avec sa gueule de dogue et son gros pansement sur l'oreille ! Mais à voir les têtes des quatre musclés qui entouraient le boss, on sentait l'ambiance plutôt tendue. Alors, Bo ne rit pas. Il dit seulement :

— Bo, boss.

— Hein ?

Le gnome crut sans doute que Bo se fichait de lui. D'un bond prodigieux sur ses minuscules jambes, il sauta au niveau de la face de brute du gorille et le gifla à toute volée. Sous l'impact, la tête de Bo pivota d'un quart de tour. Il grogna de rage rentrée, mais, alors que dans un mouvement réflexe, un des flingueurs de Fracco avait sorti son 9mm Browning GP Vigilant, deux éclairs fulgurèrent instantanément dans les mains de Bo. Un dixième de seconde plus tard, le flingueur en question reculait précipitamment son bras.

Trop tard. Il n'avait plus de main droite.

Horrifié, le type fit un pas en arrière, blêmit affreusement, avant de pousser un cri hystérique. A ses pieds, sur le couteux tapis persan, la main ensanglantée frémissait encore, serrant convulsivement ses doigts sur la crosse du Vigilant.

Autour de Bo, tout s'était figé. Même « Star » Fracco semblait coulé dans la cire. Alors, froide et tranquille, la voix de Bo résonna dans le silence :

— Quand on sort un flingue, faut s'en servir. Sinon, on prend des risques.

Très sage précepte, que les gorilles ne trouvèrent pas à leur goût. Presque ensemble, ils portèrent la main en divers endroits de leur anatomie et les flingues commençaient à apparaître, quand « Star » Fracco hurla de sa voix haut perchée :

— Suffit, bande de pédés !

Selon lui, le monde n'était décidément peuplé que d'homos. Puis, levant sur Bo ses petits yeux très enfoncés et très noirs, il grinça encore plus aigu :

— Je t'ai posé une question, pédé. Ton nom.

— Bo. Mon nom est Bo, boss.

Il n'avait pas pu résister. Mais son calme et son

sérieux convainquirent Fracco. Il cilla, hocha enfin la tête.

— Ah, bon. Fallait le dire.

— Et je suis pas pédé, boss. S'il vous plaît.

Une lueur étonnée passa dans les minuscules prunelles du capo.

— Pourquoi tu dis ça ?

Bo se dandina un peu, avant de répondre :

— Ben... c'est vous, enfin...

— Ta gueule. Je dis pédé à qui je veux, quand je veux. Vu ?

— Ben... c'est vu, boss, mais, sauf votre respect, j'aime pas me faire traiter de pédé.

Conversation hautement surréaliste. Et presque mondaine, alors qu'un type ensanglanté hurlait toujours en suppliant qu'on lui remette sa main en place. Finalement, excédé, « Star » Fracco hurla à l'adresse du plus grand de ses hommes :

— Fais-moi taire ce pédé, Felipe. Un flingueur manchot, ça ternit le prestige d'un boss.

Toujours hurlant, l'autre se débattit :

— Ma pogne, putain ! Ma pogne !

Mais le nommé Felipe ne devait pas être très patient. D'un terrible coup de poing derrière le crâne, il gratifia le blessé d'une anesthésie générale et le traîna dehors, laissant sa main sur le tapis.

— Comment t'as fait ça, toi ?

De nouveau, Fracco s'adressait à Bo. Ne voyant rien dans les mains du tueur, il se posait des tas de questions. Il en avait oublié de l'appeler pédé.

— Comme ça, répondit docilement Bo.

Joignant le geste à la parole, il effectua deux mouvements simultanés des bras, à une vitesse prodigieuse. Comme par enchantement, les deux rasoirs de l'oncle apparurent dans ses mains. Lames ouvertes, prêtes à l'emploi. Instinctivement, les deux derniers flingueurs avaient marqué un léger recul. Et aucun d'eux n'avait fait mine de bouger les mains. Dehors, il y eut une détonation sèche et Fracco commenta sobrement :

— Un pédé de moins.

Felipe s'était débarrassé du gorille inutile. Mais, déjà, « Star » Fracco s'intéressait de nouveau à Bo. Appréciateur, il hocha lentement la tête en laissant tomber :

— Pas mal.

Puis, semblant se souvenir du but de la réunion, il enchaîna, mauvais :

— Et avec ça, t'as pas été foutu de défendre ce pédé... je veux dire, Carrare.

— Ça s'est passé comme je l'ai dit, se défendit tranquillement Bo. Ce grand salaud s'est amené et nous a arrosés à l'Uzi. C'est parce que j'ai tiré en même temps que lui qu'il m'a raté. Mais il a eu Manny et Tizzi.

— Le pédé ! gronda Fracco.

— Si je savais son nom, boss, il serait déjà mort. Mais je le trouverai. Parole de Bo.

— Son nom, hein ! grinça Fracco. Tu veux le savoir, son nom ? Et si je te le dis, tu me jures de me l'apporter sur un plateau, le grand fumier ?

— Sûr, boss. Aussi sûr que je m'appelle Bo. J'y mettrai le temps qu'il faudra, mais je le buterai, l'enfoiré.

Fracco observa Bo un instant. Des éclairs fulguraient dans ses petits yeux cruels. Finalement, il souffla :

— OK. Tu vas te charger du fumier. Tu vas constituer une équipe avec mes meilleurs gars et monter toutes les opérations qu'il faudra. Mais je te préviens, ped... Bo, je te préviens. Si tu le rates, le fumier, moi, je te louperai pas. Parole de Fracco.

Un rictus gourmand passa sur la face ingrate du géant.

— Parce que vous le connaissez, le nom du fumier, boss ?

Fracco le fusilla du regard et asséna :

— C'est Bolan, connard. Ce fumier, c'est Mack Bolan le Fumier.

Bo sentit une drôle de douleur au niveau de son oreille sectionnée par la balle de Bolan. Et, soudain, il eut un peu froid. Et un peu mal au cœur aussi.

Bolan ! Mack Bolan le Fumier ! Il n'avait pas pensé à ça.

CHAPITRE QUATRIEME

Bolan avait décidé d'agir en douceur. Sans déploiement de forces extravagant. La stratégie du harcèlement. Des attaques éclair, des replis du même type, un armement léger et la mise en sommeil du char de guerre trop repérable. Il n'utiliserait ce dernier que lorsque la vraie guerre se déchaînerait. C'est-à-dire, quand les autres lui tendraient le piège.

Bolan connaissait les *amici*. Même les plus malins tombaient dans le piège... du piège. Le fameux guet-apens qui doit tout résoudre. D'ailleurs, peut-être qu'un jour, un vrai futé trouverait la recette. Et Bolan tomberait. Mais c'était la guerre et l'Exécuteur avait depuis longtemps accepté l'idée de sa propre mort. Il souhaitait seulement qu'elle survienne le plus tard possible. Non qu'il eût peur. Depuis le massacre de sa petite sœur Cindy et des autres, depuis que toute sa famille avait été anéantie par la mafia, il n'avait plus jamais eu peur de rien. Simplement, il espérait tuer beaucoup d'*amici*. Tuer encore et encore.

Pour punir. Pour ralentir aussi le plus possible le processus d'invasion de son pays par l'*Organized Crime*.

Alors il continuait la lutte. Il la continuerait jusqu'au bout. Jusqu'à sa propre fin.

— Ça va fermer, m'sieur.

Bolan venait d'entrer à l'*Etna*. Un night assez peu reluisant de Venice District, au numéro 61 de San Juan Avenue. Devant l'entrée, deux faux palmiers en carton pâte et un présentoir d'affiche, sur laquelle deux mochetés de sexe indéterminé étaient figées dans des poses qui se voulaient lascives. Mais, dans la salle, la petite scène ronde au parquet croûteux était déserte. Les « danseuses » étaient parties se coucher. Il était près de six heures, et l'aube pointait son nez rosâtre au-dessus des échangeurs de freeways.

— Eh, j'ai dit qu'on fermait.

La voix du barman était désagréable. Grincheuse et trop haut perchée. Mais il en fallait plus pour agacer vraiment Bolan. Avec un bon sourire, il s'installa sur un tabouret de bar et se hâta de rassurer le type :

— Juste un dernier, dit-il. Un dernier, et je vais me coucher.

L'autre lui lança un regard en-dessous, l'air mauvais. Fatigué, les yeux rouges, il était visiblement épuisé. Ce matin, c'était son tour de fermeture, demain, ce serait au tour de son collègue déjà parti. Il n'avait pas de chance.

— Ça va, mec, gronda-t-il. Casse-toi.

Le vernis craquait. Mais la plupart des barmen

étaient ainsi. Même petits et maigres, lorsqu'ils étaient derrière leur comptoir, ils se prenaient pour King-Kong. Toujours souriant, Bolan hocha la tête. Quand son bras se détendit, l'autre n'eut pas le temps de réaliser. Le long réducteur de son du sinistre Beretta était planté sous son menton. Le type émit un bruit étranglé, tandis que sa face anguleuse pâlissait d'un coup.

— T'as raison, mec, imita Bolan. On ferme.

Par-dessus le comptoir, il obligea le barman à le suivre et, l'un tenant l'autre au bout du canon, ils allèrent à la porte que le barman ferma docilement.

— C'est comment, ton nom ? interrogea l'Exécuteur.

— Do... Donello.

— Bien, mon petit Do. On va monter voir Stacano. Sage, hein.

Malgré la menace de l'arme, le barman marqua sa surprise. En effet, et Bolan le savait par la documentation de Necker, peu de gens connaissaient le patron de l'*Etna* par son patronyme. Tout le monde l'appelait Pig. Pas vraiment à cause du porc, mais parce qu'on avait remplacé le Y de Pygmalion par un I.

Et pourquoi Pygmalion ?

Tout simplement parce qu'il était le bienfaiteur des très jeunes mineures paumées dans l'enfer de la drogue. C'est lui qui les prostituait. Et gare à celle qui ne venait pas rapporter le fric au matin. Ou qui trichait sur la somme. Elles étaient toutes surveillées par des sous-macs discrets. La

« voleuse » disparaissait corps et biens. La traite des blanches. Du côté du Brésil ou de l'Argentine.

— Il... il dort, tremblota le barman.

— On le réveillera. Avance.

Tout au fond de la salle, un escalier descendait aux toilettes, un autre, moquetté et tapissé de velours outremer montait. Ils grimpèrent. Bientôt, Bolan perçut des voix. Contre lui, Donello se raidit. Il enfonça un peu plus le tube du réducteur dans le cou du barman.

— Tss, tss, fit-il discrètement. Fais pas ça, Do.

Il l'avait senti sur le point de crier. De la folie pure. Le type crevait de trouille et, dans ces cas-là, on était prêt à n'importe quoi.

— Combien ?

Bolan désignait à présent une porte close. Derrière, il le savait, les flingueurs de Pig.

— Tr... trois, chevrota le barman.

Bolan hocha la tête. C'était bien le nombre porté sur la liste de Necker. D'un signe de tête, il encouragea le barman à entrer. Livide, l'autre secoua la tête. Ses lèvres remuaient, sans qu'aucun son ne s'échappe de sa bouche. Bolan lui appliqua le réducteur de son dans la nuque. De l'autre côté du battant, on entendait des éclats de voix. Les trois types disputaient une partie de poker. A six heures du matin !

— Vite, souffla l'Exécuteur.

Son ton devait en dire long sur ses intentions, car, malgré sa trouille de l'accueil de l'autre côté, le barman roula des yeux blancs, avant de battre des cils. Puis, d'une main branchée sur deux millions de volts, il tourna vivement la poignée. La porte s'ouvrit et il lança :

— C'est moi, les gars.

Miracle, sa voix était presque normale. Aussi, les trois autres ne réagirent-ils pas immédiatement. L'un d'eux, un rouquin, releva la tête, questionna :

— T'as monté des biè...

Il n'eut pas le temps d'en dire davantage. Noir comme la mort, l'Exécuteur venait de s'inscrire dans l'encadrement. Un deuxième flingueur leva la tête.

— Que...

Ce fut tout. La 9 mm Parabellum du sinistre Beretta lui enfonça le reste de la phrase dans le gosier.

Le premier type avait déjà attrapé l'imposant Browning automatique FN GP 9mm à chargeur de 14 cartouches. Une arme redoutable à grande puissance d'arrêt. Le flingueur le savait. Avec cette sorte d'arme, inutile de viser très précisément. Il suffisait de toucher et l'impact fournissait au tireur le temps de doubler avec plus de précision. Le rouquin avait de bons réflexes. Mais, à peine son index s'était-il posé sur la détente, que l'Exécuteur lui faisait éclater le front. L'autre émit une sorte de feulement, avant de s'écrouler en arrière, entraînant avec lui sa chaise et la table. Cartes et jetons volèrent, mêlés au sang et à la cervelle qui arrosaient les murs et le plafond.

Alors seulement, le troisième flingueur tenta de saisir la crosse du revolver Speed-Six Ruger 38

Special qui dépassait de sa ceinture. Et il y parvint presque. En fait, il avait déjà deux doigts dessus, quand, pour la troisième fois, le réducteur de son du Beretta fit entendre son éternuement lugubre. La 9 mm fit exploser son œil gauche et une partie du nez. Mais, contrairement à toute logique, le flingueur resta debout, main posée sur la crosse de Ruger, bouche grande ouverte sur un cri qui était resté dans sa gorge. Avec son orifice oculaire vide, son nez éclaté et un morceau de boîte crânienne manquante, il avait l'air d'un hideux épouvantail dévoré par les corbeaux.

Bolan connaissait ce phénomène de « la mort debout ». Il avait souvent vu ça. Non seulement au Vietnam, mais également depuis que sa guerre faisait rage. Aussi, sans plus se préoccuper de son dernier mort, il referma doucement la porte, attirant à lui un barman sur le point de s'évanouir. D'une gifle cinglante, il le rappela aux dures réalités.

— Stacano. Où est-ce qu'il dort ?

L'autre avait vraiment l'air très mal en point. Sans doute n'avait-il jamais vu de cadavre, et encore moins dans l'état des trois derniers. Bolan releva le bras pour frapper encore.

— Non !

Ridicule, le barman avait ébauché un geste de puérile défense. Il en pleurait presque. Cette fois, irrité, Bolan frappa. Paume ouverte. En plein sur le nez du type. Cela fit un bruit mou écœurant et le sang se mit à pisser dru.

— Vite ! insista l'Exécuteur.

— Par... c'est par là, gémit Donello.

Il indiquait la porte au fond du couloir. Bolan tiqua. Selon Necker, Stacano ne dormait pas sur place. Son appartement était bien situé dans le même pâté de maisons, mais il fallait sortir de l'*Etna* pour y parvenir. Fronçant les sourcils, l'Exécuteur gronda :

— Sûr ?

— Oui. Dans son bureau. Mais...

— Mais ?

— Il va me tuer, si...

— Si quoi ? Dépêche-toi !

Mais Donello paniquait vraiment. Il tremblait de partout et des flots de sueur l'inondaient. Écœurant. Bolan allait le frapper de nouveau, quand il lâcha subitement :

— C'est sa nuit de la vierge. Si on le dérange...

Il ne put achever. Soudain, venu de loin derrière la fameuse porte, un long cri résonna. Un cri de femme, un cri de peur, de souffrance et d'horreur.

CHAPITRE CINQUIEME

— N'y allez pas !

A l'instinct, l'Exécuteur avait foncé. Il fit sauter la porte d'un coup de pied en pleine serrure, exécuta une esquive sur le côté, plongea de nouveau. Il y avait un couloir. Moquetté de noir, aux murs en toile japonaise grise et simplement éclairé de deux spots encastrés dans le plafond laqué en noir. Trois mètres plus loin, une autre porte. Un second cri venait de résonner derrière. Plus filé, plus horrifié que le premier. Horrible.

Derrière lui, le barman cria encore :

— Non !

Mais Bolan ne songeait plus qu'à ces cris. Maintenant, la fille hurlait sans discontinuer. Cela ressemblait à une lente agonie. Ayant conservé le Beretta en main, Bolan avait saisi le mini-Uzi. Chargeur engagé, il prit son élan et, d'une formidable poussée, il fit voler la dernière porte en éclats. Index sur les détentes, il fit irruption dans le bureau. Un bureau luxueux, à peine éclairé par une seule lampe Tiffany rose. Ambiance feutrée, parfumée au jasmin.

Et, sur le bureau lui-même, l'horreur.

La gamine était nue, couchée à plat ventre, immobilisée par des liens, écartelée, offerte à une sorte de poussah ventru et blanchâtre, dont le crâne chauve penché sous la lampe luisait de transpiration.

Pig Stacano.

Egalement nu comme un ver. A l'irruption de Bolan, il releva vivement la tête, le regard allumé par la rage d'être dérangé. Mais, en voyant le canon de l'Uzi pointé entre ses deux yeux, il ouvrit une bouche démesurée pour protester :

— Qu'est-ce que...

— Recule, ordonna Bolan.

La voix d'outre-tombe avait claqué, sinistre.

— Mais...

Il y eut un « flop » caractéristique. La 9 mm du Beretta zonzonna lugubrement à un centimètre de l'oreille du poussah. Cela s'était passé si vite que Pig ne réagit même pas.

— Recule, répéta Bolan de la même voix.

Il ne quittait pas le proxénète de son regard glacial. Dedans, l'autre vit sans doute passer quelque chose qui ressemblait à sa mort. D'un coup, il s'arracha du corps de la fille. Cette dernière hurla encore en griffant le beau vernis du bureau de ses ongles déjà cassés. Son jeune visage tordu de douleur s'était tourné vers Bolan et ses grands yeux noirs ruisselants de larmes rencontrèrent la face granitique de l'Exécuteur. De grands yeux veloutés qui, en cet instant, ressemblaient à ceux d'une petite sœur nommée Cindy. Des yeux désespérés. Comme avaient dû l'être autrefois ceux de Cindy.

— Qui tu es, toi ?

Malgré sa nudité, malgré la situation, Pig avait aussitôt repris son arrogance. Sans toutefois quitter les deux armes des yeux. Bolan lui envoya un sourire à geler un haut fourneau. Il venait de voir ce dont s'était servi le *mafioso* pour « sa nuit de la vierge ».

Une prothèse !

Une énorme prothèse en plastique, véritable engin de torture. Attaché à ses grosses hanches gélatineuses par des courroies en cuir, l'engin démesuré se dressait dans la lumière, hideux, ensanglanté. Depuis le début de sa guerre contre la mafia, Mack Bolan avait vu bien des horreurs et assisté à bien des carnages. Mais ce qu'il découvrait en ce petit matin californien dépassait tout ce qu'il avait connu jusqu'alors. C'était le Moyen Age. Pire que l'inquisition. Pourtant, le sourire glacé de Bolan ne varia pas d'un soupçon. D'un ton serein, il ordonna :

— Détache-la, Pig.

Il désignait la pauvre gamine crucifiée qui, maintenant, gémissait sans discontinuer. L'arrogance de Stacano baissa d'un ton :

— J'ai demandé qui tu es, toi ! grinça-t-il en glissant doucement une main vers le dessous de son bureau.

Mais l'Exécuteur veillait. Son index pressa la détente du Beretta qui toussa une fois de plus. A cinq mètres de là, Pig poussa un cri rauque en se rejetant en arrière. Dans le mouvement, son bras gauche fut envoyé en arrière et du sang gicla sur le bureau et contre les murs. Traversé de part en part, son avant-bras était cassé un peu en dessous du coude et, au milieu des chairs éclatées, un bout d'os pointait, blanchâtre, incongru. Livide, Pig Stacano soufflait comme un taureau blessé. Incrédules, ses gros yeux protubérants allaient maintenant de son bras massacré à Bolan. Mais ce dernier s'était retourné à la vitesse de l'éclair. L'instinct. Le Beretta éternua une nouvelle fois et un troisième œil se dessina instantanément sur le front buté de Do le barman.

Il avait eu tort de revenir... avec un gros 45.

Comme si la mort de Do n'était qu'un détail, l'Exécuteur refit face à Pig Stacano.

— Détache-la, répéta-t-il sur le même ton.

Cette fois, le pourri comprit qu'il n'y avait rien à faire. D'une seule main désormais, réprimant la nausée que la douleur commençait à provoquer en lui, il dénoua les entraves de la fille. A peine libérée, au prix d'un effort gigantesque, cette dernière parvint à se redresser. Telle une tigresse, elle lança ses ongles cassés en direction de Pig, lui labourant la face de profonds sillons sanglants.

— Ordure ! gronda-t-elle en lui crachant ensuite au visage.

Puis, comme si ce dernier effort avait eu soudain raison de son énergie, elle s'écroula sur la moquette. Evanouie. Bolan la désigna à Pig et ordonna en montrant le divan de repos qui trônait dans un coin :

— Allonge-la.

Stacano s'activa aussitôt. Avec son gros ventre flasque et sa monstrueuse prothèse de sexe tendue devant lui, il était ridicule. Bolan avait envie de le tuer. Là, tout de suite. Mais, alors que le pourri se retournait vers lui, il déclara de sa voix glaciale :

— Tu as demandé qui je suis, hein ? Mack Bolan, mon nom est Mack Bolan.

L'autre parut secoué par une gigantesque décharge électrique. Il fit un pas en arrière, tandis que sa face écœurante blêmissait encore.

— Bolan, le Fu...

Il se tut d'un coup et l'Exécuteur sourit froidement pour achever à sa place :

— Bolan le Fumier. C'est bien ça, Pig. Tu vois, tout arrive. Comme beaucoup de tes semblables, tu finissais par croire que je n'existais pas.

Pig secouait la tête en se tenant le bras.

— Non, non, Bolan. Je... j'ai toujours su que tu existais.

Mais l'Exécuteur reprenait :

— Tu croyais sans doute que je ne viendrais jamais foutre ton territoire à feu et à sang.

— Non ! gémit Pig. Fais pas ça, Bolan ! Cette fille, je lui ai pas vraiment fait mal, tu sais. Y en a d'autres à qui j'ai fait la même chose et...

— Ce que je viens de voir ici me fait regretter

de n'être pas venu plus tôt, coupa l'Exécuteur. Mais je vaïs réparer cette négligence, Pig.

Joignant le geste à la parole, il leva le canon du Beretta et visa entre les yeux de Stacano.

— Non !

Pig avait hurlé en reculant encore. Dans la panique, il en avait même oublié son bras déchiqueté. Le brusque mouvement lui arracha un autre hurlement. De douleur. Bolan lui adressa son sourire glacial.

— Tu vois, ironisa-t-il, tu souffres bien trop. Il vaut mieux t'achever.

— Non !

Il allait finir par se scier les cordes vocales, le Pig. Mais, malgré son dégoût et sa haine, l'Exécuteur appréciait à sa juste valeur l'incroyable résistance du pourri. Avec un bras dans cet état, beaucoup de costauds se seraient déjà écroulés. Pas Stacano. Pourtant, Bolan le savait, il souffraït abominablement. Secouant la tête comme une mécanique déréglée, il n'arrêtait plus de gémir :

— Non, me flingue pas, Bolan. Me flingue pas. Je mérite pas ça.

L'Exécuteur était d'un autre avis. Il songeait à toutes celles qui avaient été traitées comme cette fille, et qui, aussitôt après, avaient été livrées comme du bétail aux macs brésiliens ou argentins. Un éclair de colère fulgura dans ses prunelles. Non seulement, il fallait punir le sommet du système, mais également anéantir sa base. Il désigna le téléphone.

— Appelle Tosca, dit-il.

— Hein ?

Pig le regardait avec des yeux ronds. Que Bolan connaisse le nom de son chef mac lui faisait presque oublier sa douleur.

— Tout de suite, insista l'Exécuteur.

Le Beretta était toujours pointé entre ses yeux. Pig semblait fasciné par l'orifice noir du réducteur de son, d'où la mort pouvait surgir à tout moment. Presque silencieusement. Il répéta :

— Me flingue pas, Bolan. Je vais l'appeler, Tosca.

— Dis-lui de réunir tous tes macs pour huit heures.

Sans comprendre, Stacano hocha la tête en demandant :

— Où ça ?

— Où tu as l'habitude de les réunir. A l'entrepôt de la vieille conserverie.

Cette fois, Pig Stacano en resta un moment muet de saisissement. Enfin, il souffla :

— Tu sais ça aussi ?

Bolan acquiesça.

— Et j'en sais encore bien plus, que tu ne connaîtras jamais. Maintenant, appelle.

Lançant un regard en biais vers la gamine toujours évanouie, Stacano décrocha le combiné et actionna le cadran. Bolan s'était approché pour vérifier. C'était le bon numéro. Un des nombreux que comportait la longue liste fournie par Necker. Il s'empara de l'écouteur, posa délicatement le cylindre du réducteur de son sur le gros ventre de Stacano. A l'autre bout de la ligne, une sonnerie retentit longuement, avant qu'une voix caverneuse ne s'élève, rageuse :

— *Ouais* !

Pig se râcla la gorge, se fit reconnaître et commanda :

— Réunis tout le monde, Tos. J'ai dit tout le monde. A huit heures, à l'entrepôt.

Au bout de la ligne, il y eut une hésitation, puis Tosca demanda :

— *Ce... ce matin* ?

Sous la pression de l'arme de l'Exécuteur, Stacano se mit à hurler :

— Pour quand veux-tu que ce soit, connard !

En raccrochant, il tremblait de peur. Et il avait raison. Pour l'Exécuteur, il n'était plus alors qu'une créature nuisible qui ne pouvait plus lui servir à rien. Il éleva le Beretta, le posa sur la tempe du pourri et son index se durcit sur la détente :

— Non ! non, attends !

Stacano savait qu'il n'avait plus aucune chance. Il avait entendu dire que le Grand Fumier ne faisait jamais grâce. Ou presque jamais. Pourtant, il décida de jouer son va-tout. A l'instinct. Haletant, il supplia :

— Ecoute, Bolan ! Ecoute... je peux peut-être t'acheter ma peau.

Bolan posa sur lui un regard absent.

— Ça m'étonnerait, pourri.

— Attends ! Tu... tu sais pas ce que j'ai à vendre, mec. Attends.

— Accouche, grogna l'Exécuteur de sa voix d'outre-tombe.

— Eh ! c'est ma peau, que j'achète, Bolan. Donne ta parole que...

— Accouche. Si ça vaut le coup, on verra.

Plus que le contact du canon sur sa tempe, le ton implacable de l'Exécuteur glaça Pig. Il se dit qu'il n'avait guère de chances, mais qu'il avait encore moins le choix. Alors, il se lança à l'eau.

Une confession qui ne dura pas plus de dix secondes. Mais, quand Stacano se tut, Bolan demeura un instant les yeux fixes, l'air de réfléchir profondément. Pig n'osait pas bouger. Paralysé, grotesquement planté sur la moquette, avec son gros ventre et son énorme prothèse ensanglantée, il était l'image même du vice. Lamentable. Enfin, après un temps qui lui parut une éternité, l'Exécuteur questionna d'une voix étrangement douce :

— Comment tu sais ça, Stacano ?

Pour la première fois, malgré la terrible douleur qui dévorait son bras, malgré sa peur et le ridicule de sa situation, Stacano ébaucha un rictus qui, en d'autres circonstances, aurait pu passer pour un sourire.

— Chez nous, Siciliens, la famille, c'est sacré. On se dit tout. Tu comprends ?

Bolan comprenait. Et il trouva le rictus de Stacano vraiment immonde. Déchet à ce point, on ne pouvait qu'être une atroce erreur de la nature. Stacano avait eu le tort de naître. Il fallait donc réparer. Vite. L'Exécuteur hocha la tête et sourit à son tour.

— Bien compris, laissa-t-il tomber.

Puis il enfonça la détente du sinistre Beretta.

La tête de Stacano explosa comme une pastèque trop mure. Sang, cervelle et éclats d'os allèrent maculer les beaux murs en velours. Arraché par le projectile qu'un os avait fait basculer sur lui-même à la sortie du crâne, un lambeau de joue alla se coller avec un bruit mou sur une estampe chinoise très hard. Presque dépourvu de tête, le cadavre partit en arrière en émettant un étrange et malsain bruit de gorge. Ouverte sur un hurlement qui n'avait pas eu le temps de jaillir, la bouche molle de Pig Stacano vomissait des flots de sang noir. Le gros corps flasque s'écroula dans un angle de la pièce, fut un instant secoué par les spasmes post-mortem, puis ne bougea plus.

Un gémissement attira l'attention de Bolan. Sur le divan, la fille reprenait connaissance. Il s'approcha, se pencha pour lui tendre ses vêtements épars sur la moquette.

— Tu peux t'habiller ? questionna-t-il, frappé par sa pâleur.

Elle gémit de nouveau, secoua lentement ses courts cheveux de blé mûr.

— Trop mal.

Ça n'avait été qu'un souffle. Mais, à voir ses mains comprimer son jeune ventre, on pouvait estimer l'étendue des dégâts. Bolan avait entendu parler de cas analogues. Certaines filles en étaient mortes. Hémorragie interne. Il s'empara à son tour du téléphone, et, pendant qu'il composait le numéro direct d'Harold Brognola à Washington, il questionna encore :

— Tu as quel âge ?

La gamine grimaça de souffrance. Des larmes plein les yeux, elle souffla :

— Quinze.

— *Allô* ?

La voix de Brognola. Bolan se fit reconnaître par le nom de code établi entre ses amis et lui.

— Dakota.

— *Eh* ! gémit le fédéral, *tu sais*...

— Je sais l'heure qu'il est à Washington, coupa l'Exécuteur. Je dois faire admettre quelqu'un à l'hôpital. En urgence, précisa-t-il, et dans la plus grande discrétion.

La voix de Brognola devint instantanément professionnelle.

— *Quel genre d'urgence ?*

L'Exécuteur lança un regard en direction de la gamine et précisa :

— Gynécologie ou entérologie. Peut-être les deux à la fois.

En termes voilés, il relata brièvement ce qui s'était passé à l'*Etna*. Son ami grogna :

— *Je vois. Une seconde.*

Un instant passa, avant que le fédéral ne lance dans l'appareil :

— *OK, je fais envoyer une ambulance. En urgence prioritaire, laisse ouvert derrière toi.*

Urgence prioritaire signifiait entre eux que l'intervention médicale serait d'une discrétion exemplaire et qu'elle aurait lieu avant celle de la police. A charge pour Bolan de disparaître au plus vite.

— Bien reçu, acquiesça l'Exécuteur. Thanks.

Il raccrocha, retourna près de la fille. Elle souffrait beaucoup et il lui passa une main sur le front. La fièvre montait de façon alarmante. Pitoyable, elle accrochait son regard au sien. Il était son ultime recours. Son salut. Il demanda :

— Tu as de la famille à L.A. ?

Elle fit non de la tête. Il insista :

— Fugue ?

Signe affirmatif. Situation classique. Fugue-drogue-sexe. Bolan connaissait. A Miami, il s'était déjà occupé d'un cas identique. Il insista :

— Tu veux prévenir un parent ?

— Non !

Le cri du cœur. Désespéré. Bolan lui sourit, rassurant.

— OK. Si tu as des papiers d'identité, donne-les-moi. Tu vas être prise en charge par des amis très, très discrets. N'aie pas peur. Tu ne verras pas un seul flic. Rien que des médecins qui ne diront rien à personne. Après, si tu le souhaites, je t'enverrai quelqu'un. Une spécialiste qui saura t'aider. Mais seulement si tu le veux. OK ?

La gamine souffrait trop pour discuter. Elle battit des cils. Mais alors que Bolan allait se redresser, elle l'agrippa d'une main nerveuse. Des larmes plein les yeux, elle souffla :

— Restez... avec moi. J'ai peur.

— Impossible, sourit-il. Mais j'irai te voir. Donne tes papiers.

D'un geste las, elle désigna un petit sac en toile qui gisait au sol avec ses vêtements. Bolan s'empara de tout ce qui aurait permis d'identifier la jeune blessée. Elle s'appelait Shere Dunn... et elle n'avait même pas quinze ans. Après une ultime caresse dans les courts cheveux blonds, il se fouilla, sortit de sa poche de combinaison un petit disque en bronze qu'il jeta sur le cadavre de Pig Stacano. La médaille de tireur d'élite.

La signature de l'Exécuteur.

CHAPITRE SIXIEME

Seize. Seize petits macs. Le dernier venait de faire son entrée sous le portique en tôle à la peinture écaillée de l'ancienne conserverie. Une usine qui n'avait plus servi depuis 1962, mais dont personne ne savait pourquoi on avait épargné les vestiges depuis si longtemps. D'autant que le site ne manquait pas d'intérêt. Située à environ deux miles de Pacific Palisade, la conserverie désaffectée avait été vendue à un original collectionneur, dont on avait perdu la trace. Résultat, impossible de démolir. En fait, la municipalité ignorait que le collectionneur en question n'était qu'un vulgaire homme de paille. Un « paravent » de Stacano. En effet, soucieux de réaliser d'immenses bénéfices à court terme, Pig avait fait acheter la conserverie et ses immenses terrains, puis laissé la situation pourrir, alors qu'autour des ruines, les constructions de propriétés de luxe organisées par lui faisaient grimper les prix en flèche.

Manœuvre classique, mais toujours payante.

Arrivé sur les lieux une demi-heure plus tôt par

la Divided Highway, l'Exécuteur avait eu largement le temps de se livrer à un petit travail préliminaire, à l'intérieur de l'entrepôt désert. Grâce à son fameux passe à broches réglables, il lui avait été facile d'ouvrir et de refermer l'unique serrure encore en état de fonctionner. Aussi, en arrivant sur place avant ses gars, Tosca n'avait-il rien remarqué.

Et maintenant, ils étaient tous là.

— Qu'est-ce qu'on fout là, Tos ?

Un des arrivants s'impatientait déjà. Ils n'étaient réunis que depuis deux minutes ! Un autre renchérit, maussade :

— C'est vrai, ça. Qu'est-ce qu'on attend ?

Leurs voix résonnaient dans l'immense entrepôt vide aux poutrelles d'acier rouillé. Plus forte que celle des autres, la voix de Tosca, une sorte de géant complètement filiforme et au teint blafard, résonna davantage sous la voûte :

— Vos gueules. C'est le boss, qu'on attend.

Un silence étonné suivit. Le boss, à part Tosca, personne ne l'avait jamais vu. Tous les ordres arrivaient par Tosca et tout avait toujours parfaitement fonctionné comme ça. Alors, ils n'y comprenaient rien. Sauf Tosca lui-même. Car, en venant ici, il avait largement eu le temps de réfléchir. Et l'évidence s'était soudain imposée à son esprit. Il savait Pig en passe de grimper dans la hiérarchie. Il avait entendu des rumeurs à propos d'une promotion accordée à son boss par « Star » Fracco lui-même. Alors, Tosca se disait que si Pig montait d'un cran, il allait naturellement suivre le mouvement. Il allait grimper aussi. Et c'était précisément pour annoncer ça que Pig les avait réunis ce matin.

Implacable logique.

— Il a des nouvelles à vous annoncer, le boss, reprit-il, en se donnant un air mystérieux.

Mystérieux et important. Puisqu'il allait grimper, autant en imposer tout de suite.

— Et puis, il est même pas encore huit heures, précisa-t-il en consultant sa montre. Alors, faites pas chier.

Ça, c'était indubitablement le langage d'un futur boss. Il était exactement huit heures moins deux à sa montre. Et c'était la montre hiérarchiquement la plus haut placée qui comptait.

Toujours l'implacable logique.

Pourtant, sur ce point, Tosca avait tort. Sa montre retardait de plus d'une minute. A huit heures très précises, une voix grave s'éleva dans l'immense entrepôt :

— Salut, Tosca. Il est huit heures.

L'intéressé sursauta et tous tournèrent la tête vers le son. Mais il n'y avait personne. Et puis, ce n'était pas la voix du boss. Celle-là était grave, presque sinistre. Comprenant qu'il se passait quelque chose d'insolite, les hommes montraient divers signes d'inquiétude.

— Ne cherche pas Stacano, Tosca. Je viens de le tuer.

Rapide, le chef mac brandit instantanément le gros Colt Trooper 357 Magnum qu'il portait toujours sous sa veste. Une arme redoutable, de qualités similaires à celles du fameux Python. Un bijou dont il s'était déjà servi pour punir un mac indélicat ou pour achever une fille trop abîmée par Pig. Aussitôt, les autres l'imitèrent. Et Tosca vit alors avec effarement que tous ses gars étaient venus armés à son rendez-vous.

La confiance régnait.

Un petit rire résonna dans l'entrepôt. Un petit rire à la fois moqueur et lugubre. Tosca devenait fou. Ses petits yeux vicieux fouillaient partout sans rien voir. Pourtant, grâce à ses larges plaques translucides de toiture, le local était largement éclairé par le soleil matinal. On y voyait presque comme dehors. Soudain, un coup de feu explosa tout près. Un des macs avait craqué. Ce fut comme un signal. Toutes les armes crachèrent en même temps. Dans n'importe quelle direction. Sauf celle de Tosca. A la dernière seconde, il avait réussi à se maîtriser.

— Arrêtez ! hurla-t-il. Arrêtez vos conneries, merde !

Les tirs cessèrent, mais leur écho résonna sous la haute voûte en tôle, créant une théâtrale atmosphère d'angoisse. Puis, quand le silence fut revenu, la voix mystérieuse s'éleva de nouveau :

— Tes gars ont raison d'avoir peur, Tos. Eux, ils ont déjà compris qu'ils allaient mourir.

Des mouvements divers eurent alors lieu dans le groupe. Deux types se remirent à tirailler n'importe où, tandis qu'un autre, un petit nerveux dont l'arme était vide, se précipitait en direction de la grande porte métallique par laquelle ils étaient entrés. Un porte-panneau sur rail de gros passage, où un battant plus petit avait été prévu pour le simple usage. Mais, après l'arrivée du dernier homme, Tosca avait refermé. Le type tira sur la poignée, se souvint que c'était bouclé et, paniqué, tourna la tête en direction de son chef. Mais ce dernier ne s'occupait pas de lui. Dépassé par les événements, son canon de flingue hésitant sur les directions où pointer, il hurlait pour calmer ses hommes :

— Arrêtez, bande de connards !

Mais il ne savait pas lui-même très bien ce qu'il voulait. Dans sa tête, tout se mélangeait. Il avait pourtant bien eu Pig au téléphone. Il en aurait donné sa main à couper, et Pig lui avait ordonné de réunir les hommes ici. A huit heures.

— Toi aussi, reprit alors la voix inconnue, toi aussi, Tos, tu vas mourir.

Complètement déboussolé, Tosca hésita entre la panique et la rage. Ce fut cette dernière qui l'emporta. Brandissant le gros MK III au-dessus de sa tête, il hurla :

— Mais montre-toi, espèce d'empaffé ! Montre ta gueule, que je l'éclate !

— Quand tu me verras, Tosca, il sera trop tard. Mais pour l'instant, toi et tes hommes, écoutez plutôt...

— J'écoute mon cul ! hurla encore Tosca. Montre-toi, que je te flingue !

Un nouveau petit rire sinistre résonna, sans qu'aucun de la bande à Tosca ne puisse dire d'où le son venait exactement.

— Vous auriez tous tort de ne pas écouter, reprit la voix. Parce qu'il s'agit de votre vie.

— Nos vies, qu'est-ce qu'elles ont, nos putains de vie !

Là, Tosca avait résumé ce que pensait Mack Bolan de la valeur d'une vie de mafioso. Une putain de vie. Mais, bien entendu, il ignorait encore à qui ils avaient affaire.

— Elles sont toutes importantes, ces... putains de vie, reprit la voix. Parce qu'à la fin de cet entretien, l'une d'elles sera épargnée. Une seule, Tosca. Et le type qui aura la chance d'en réchapper aura une mission à accomplir.

— Une mission ! fit Tosca. Quelle bon Dieu de mission ?

Il n'y comprenait vraiment rien. Ce truc ressemblait à des scènes de films de gangsters qu'il avait vus dans sa jeunesse. Quand le boss faisait descendre toute une bande, sous prétexte qu'il avait quelques doutes sur la loyauté d'un seul élément du groupe. Tout ça ne faisait pas réel. Il devait cauchemarder. Il allait se réveiller dans son lit et se marrer. Sûr.

Mais, autour de lui, les autres n'avaient pas l'air de s'amuser. Ils commençaient même à se regarder en chien de faïence. De tous temps, le propre du mafioso type avait été de soupçonner le « collègue » de trahison. Alors, chacun se demandait ce que signifiait cette insolite embrouille à la voix inconnue « venue de nulle part ».

— Quelle mission ? répéta Tosca, de plus en plus inquiet.

— Celle d'aller raconter à « Star » Fracco comment Bolan le Fumier a exterminé les macs de Pig.

Un silence de mort s'abattit soudain sur l'immense entrepôt. Un silence fait à la fois de stupéfaction et de sourde crainte. Celle que cette voix appartienne effectivement à Bolan le Fumier. Mais, d'un coup, Tosca réalisa sa stupidité. Tout ça n'était qu'une épreuve. Une espèce de test, mis au point par l'esprit machiavélique de ce salaud de Pig, et destiné à contrôler les compétences de ses hommes. Surtout les siennes. C'était forcément ça. Au téléphone, il avait parfaitement reconnu la voix de Pig. C'était bien lui qui lui avait dit de venir ici. Le Grand fumier repasserait. Tout ça, c'était un coup de ce vicelard de Pig. Alors, conscient d'avoir été le plus malin, Tosca sourit soudain. Complètement calmé, il bomba le torse et cria à la cantonade :

— OK, grand con de fumier de Bolan de mes deux. Vas-y ! Fais ton putain de numéro, pédé. Montre seulement ton gros cul de fiotte, que je te pisse à la raie !

Ça, c'était envoyé ! Où qu'il se planque pour faire son numéro d'intoxe, ce gros pourri de Pig allait en être pour ses frais. Il allait pouvoir se rendre compte que, du Grand fumier, Tosca n'en avait rien à cirer. Personne ne l'impressionnait, Tosca. D'ailleurs, même si ç'avait vraiment été Bolan, il aurait agi pareil. Question de virilité.

Nouveau silence.

Un silence qui conforta Tosca dans sa théorie. On l'avait tout simplement testé, en vue de sa très prochaine promotion. Et sa réaction prouvait qu'il avait finalement plus de raison qu'un simple *caporegime*.

Et le silence se prolongea.

Jusqu'au moment où il fut cassé. En fait, à peine troublé, par un tout petit bruit métallique. Comme le ricochet d'un cent sur un trottoir. D'abord, Tosca crut qu'un des hommes avait laissé échapper une pièce, puis, voyant le petit disque rouler à ses pieds, il se baissa instinctivement pour le ramasser. Mais il l'avait à peine en main qu'il réalisa son erreur.

Il ne s'agissait pas d'une pièce.

Une médaille. Une simple petite médaille en bronze, sur laquelle le croisillon d'une lunette de visée figurait. Une médaille de...

— Tu as bien vu, Tosca, lâcha soudain de nouveau la voix d'outre-tombe. C'est la médaille militaire du tireur d'élite. C'est aussi la signature de Bolan le Fumier. La mienne.

Tosca se redressa lentement. Son air suffisant avait disparu et l'inquiétude ternissait ses petits yeux vicelards. Pourtant, il s'accrochait désespérément à son idée de test. Il trouvait juste que ça durait un peu trop. Mais déjà, la voix reprenait :

— J'ai en main un PM Uzi. Un PM dont j'ai ôté neuf cartouches sur les vingt-cinq du chargeur. Restent donc seize projectiles et, en te comptant, Tosca, vous êtes dix-sept. J'ai placé le sélecteur de tir sur la position au coup par coup. Pour la précision. Quand j'aurai vidé le chargeur, poursuivit la voix profonde, il y en aura donc un parmi vous qui survivra. Un seul.

Tandis qu'un nouveau silence s'établissait dans le hangar, les dix-sept hommes cherchaient anxieusement d'où pouvait provenir cette voix. Et, surtout, ils essayaient de localiser son propriétaire. Mais ils avaient beau lever les yeux, fouiller les grosses poutrelles métalliques, ils ne voyaient rien.

— Celui-là ira porter mon message à « Star » Fracco, acheva la voix.

Un autre silence. Encore plus éprouvant, puis, subitement :

— Tosca !

Sans amplification, la voix qui s'éleva à cette seconde parut soudain très lointaine. Plus fragile aussi. Et elle venait d'en haut. Alors, tous relcvèrent la tête, et tous aperçurent la grande silhouette noire en même temps.

Debout, à dix mètres de haut, immobile sur la poutre maîtresse en acier massif de la charpente, elle les défiait du PM qu'elle tenait en main.

Tosca fut le premier à faire feu. Quasiment à l'instinct. Il tira trois fois, faisant tonner le terrible calibre de .357, aussitôt imité par ses hommes. Ce fut un feu d'enfer qui dura aussi longtemps que barillets et chargeurs mirent de temps à se vider. Là-haut, la silhouette noire cria, marqua une sorte de haut-le-corps, puis, presque au ralenti, elle bascula sur le côté, avant d'entamer son inexorable chute.

A cet instant, Tosca ressentit la plus grande joie de son existence pourrie. Et son plus grand soulagement aussi.

Lui, Tosca, il avait eu le Grand fumier !

CHAPITRE SEPTIEME

Le grand corps s'écrasa sur le béton avec un bruit mou écœurant. Il parut rebondir et Tosca vit nettement le crâne éclater. Du sang, de la cervelle giclèrent tout autour, éclaboussant les macs qui reculèrent d'horreur. Emporté par sa fureur, Tosca appuya encore une fois sur la détente de son MK III et la dernière balle du barillet tonna, avant d'aller s'enfoncer dans le cadavre.

— *Shit* ! lança un des macs. Bolan ! On a eu Bolan le Fumier.

De saisissement, tout le monde s'était immobilisé. L'événement les dépassait. Enfin, se redressant de toute sa hauteur, Tosca fit les quelques pas qui le séparaient du corps désarticulé et se pencha. Il ne vit qu'une masse de cheveux, d'os, de cervelle et de sang. Complètement brisée, la nuque de Mack Bolan laissait voir deux vertèbres. En d'autres circonstances, Tosca aurait ordonné à un de ses sbires de retourner le cadavre pour mieux le contempler. Mais la mort du Grand Fumier était SON œuvre. Il allait l'assumer jusqu'au bout.

Refoulant son dégoût, il saisit une poignée de cheveux poisseux et, d'un vif mouvement, retourna la tête.

Il crut alors être le jouet d'une hallucination.

Donello !

C'était la tête de Donello... le barman de l'*Etna* !

Malgré le sang et l'éclatement des chairs, il l'avait parfaitement reconnu. Tel un ressort, il se redressa en hurlant :

— Atten...

Il n'eut pas le temps d'achever. Juste devant lui, un des macs émit un gargouillis sinistre. Traversée de haut en bas et légèrement en biais, sa tête avait éclaté au niveau des maxillaires. Dans un bouillonnement de sang, sa mâchoire inférieure se sépara de la supérieure sur le côté gauche et se mit à pendre lamentablement. Une intense expression de surprise se peignit sur la face éclatée du pourri, qui, d'un bloc, tomba en avant. Sur le corps de Donello.

Ce fut aussitôt la panique. Désespérément, les macs brandissaient des armes maintenant vides. Plus prévoyant que les autres, l'un d'eux trouva un chargeur plein dans sa poche. Fébrile, il éjecta le vide de son Smith & Wesson 9 mm modèle 59, mais il n'eut pas le loisir d'utiliser les quatorze cartouches du plein. Ni même une seule. Loin au-dessus de lui, il y eut un « flop » caractéristique et le sommet de son crâne s'ouvrit comme une noix sous l'impact de la 9 mm Parabellum de l'Uzi. Il parut secoué par une formidable décharge électrique, avant de lâcher l'automatique et de s'écrouler dessus.

Maintenant, tout le monde pouvait voir Bolan. Le vrai. Debout sur la grosse poutre métallique où s'était trouvé le cadavre un instant plus tôt il pointait tranquillement le court canon de l'Uzi sur le groupe. Tosca sentit le sang se glacer dans ses veines. Son flingue était vide et il n'avait pas de munitions de rechange. Il n'avait pas prévu la guerre. Quant à l'arme du dernier mort, elle était inaccessible. Alors, n'écoutant que son courage, Tosca se rua vers la grande porte. D'un geste de prestidigitateur, il fit apparaître la clé dans sa main mais dut s'y reprendre à deux fois pour l'engager dans la serrure. Derrière lui, il y eut un autre « flop », suivi d'un cri sourd et d'un bruit de chute. A cet instant, Tosca crut devenir fou. Malgré tous ses efforts, la clé ne tournait pas dans la serrure.

— Simple bricolage, cria Bolan du haut de sa poutre. J'ai seulement dégoupillé le ressort de serrure avant ton arrivée, Tos.

Il avait bien calculé. Le ressort avait sauté après les deux manœuvres souhaitées. Tout en bas, Tosca était dans sa ligne de tir. Collé à la porte en acier, il levait des yeux paniqués et sa bouche remuait sans formuler de mots. Bolan pouvait le tuer facilement. Mais il préféra différer. Lugubre, sa voix d'outre-tombe résonna de nouveau sous la voûte :

— Tu seras tué en dernier, Tos. Parce que tu es le chef.

Du coin de l'œil, il avait suivi le manège d'un mac situé juste en-dessous. Très lentement, ce dernier s'était approché du cadavre au Smith & Wesson et avait glissé un pied sous lui. Imperceptiblement, il le repoussait ainsi, cherchant à dégager l'arme. Bolan le laissa faire. Tout en surveillant les autres. Pour le cas où un petit malin aurait gardé un flingue caché.

Mais personne n'avait été assez malin. La seule arme encore opérationnelle était bel et bien le S&W que l'autre pourri essayait de récupérer.

— Attention, prévint l'Exécuteur. On bouge.

Dans le même temps, il pointait le court canon de l'Uzi en direction du groupe. Ce fut aussitôt la débandade. Chacun courant sa chance, les treize survivants de Tosca se dispersèrent un peu partout. Quant à Tosca lui-même, il s'activait comme un fou sur la serrure récalcitrante. Mais rien à faire. Bolan n'avait pas bluffé, le mécanisme était bel et bien bloqué. Un de ses hommes se rua en hurlant sur l'autre issue du dépôt. Une petite porte en acier, située tout au fond. Fou de peur, il fonça dessus, épaule en avant. Mais l'acier résista si bien qu'emporté par son élan, le type se fracassa la clavicule. Son hurlement devint aigu et il s'écroula à terre, en pleine crise de nerfs.

L'Exécuteur eut pitié de lui.

La quatrième ogive brûlante du chargeur fut pour lui. Il fit une sorte de cabriole tragi-comique, griffa le béton durant quelques secondes et ne bougea plus.

Pendant ce temps, le petit malin qui essayait de

soustraire le flingue du mort passait un mauvais moment. Ayant réussi à en dégager la crosse, il tirait dessus comme un forcené. Sans s'apercevoir que la boucle de ceinture du cadavre accrochait le pontet. Quand il s'en rendit compte, il fit rouler le corps, plongea sur le côté en brandissant l'arme vers le haut.

Ce fut son dernier acte de vivant.

La 9 mm de l'Uzi lui fit éclater l'œil gauche et tout l'arrière de sa nuque vola en éclats.

Cinq pourris de moins.

Tranquille, Bolan laissait Tosca s'échiner à tenter de dégager la serrure. Il avait dit qu'il l'aurait en dernier, Tosca verrait donc mourir tous ses hommes avant lui. D'ailleurs, l'Exécuteur ne s'occupait déjà plus de lui. Il avait vu un des macs, une espèce de géant, se déplacer subitement pour s'immobiliser sous la poutre où il se trouvait. Ainsi, Bolan ne pouvait l'atteindre qu'en se penchant d'un côté ou de l'autre. Ce qui, de toute évidence, aurait pour effet de rendre son tir malaisé. Avec un peu de chance, l'Exécuteur s'occuperait donc probablement d'abord des autres. Bolan esquissa une ombre de sourire glacé. Celui-là avait mérité de survivre encore un peu. Il pointa donc le canon de l'Uzi vers un autre pourri, qui, à cet instant, tentait d'atteindre à son tour l'automatique chargé. La balle l'atteignit sous la clavicule, perfora le cœur de part en part, avant d'aller s'ouvrir une issue dans les reins du mac. Ce dernier fit un écart nerveux, poussa un hennissement qui se termina en un gargouillis sinistre. De sa bouche grande ouverte, un flot de sang jaillit, qui, tel un abominable geyser, alla arroser un autre type tout proche. Mais cela ne suffit pas à arrêter ce dernier dans sa course. Tendu vers son but, il arriva sur le flingue comme un footballeur au placage, s'écrasa dessus et, d'un roulé-boulé impeccable, se retrouva en position de tir. Dans le quart de seconde suivant, la première balle vint ricocher sur la poutre d'acier. A deux centimètres du pied de Bolan.

Ce dernier ne broncha pas.

.Posément, tandis que l'autre enfonçait de nouveau la détente du S&W, il dévia de quelques degrés le canon de l'Uzi. Contrairement à la détonation du pistolet, le « flop » de l'Uzi fut à peine audible.

Mais le résultat fut intéressant. Digne d'un western de bon cru. La balle traversa le poignet du mac comme du beurre, brisa ses deux incisives en pénétrant dans sa bouche ouverte sur un cri de douleur et, transformée en toupie folle, alla broyer le fond de sa gorge et les cervicales au niveau de sa nuque. Sous sa tête, le béton du sol se couvrit instantanément de rouge.

Dans le choc, le flingue était allé voler à quelques mètres de là. Emporté par son élan, il glissa au sol avec un bruit de râpe, avant de s'arrêter entre les pieds d'un gros pourri au crâne chauve et couvert de transpiration. A cet instant, Bolan surveillait ce qui se passait sous lui. Pour le chauve, la tentation fut trop grande. Il se cassa en deux, s'empara de l'arme, eut encore le temps de la brandir dans la bonne direction, avant de recevoir la 9 mm de Bolan exactement entre les yeux. Dans le spasme de la mort, son index enfonça quand même la détente du S&W et son coup partit vers le toit. Conservant le flingue dans sa main crispée par la mort, il versa d'un bloc en arrière et son gros crâne chauve sonna sinistrement sur le béton. Il y eut même un petit craquement. La balle de l'Uzi ayant déjà fait une bonne part du travail, le crâne n'avait pas résisté au choc.

— Tu vas crever ! hurla soudain Tosca, en se précipitant pour plonger sur le cadavre du chauve. Tu vas crever, fumier !

Rendu fou par la peur, il avait déjà agrippé l'arme et tentait de l'arracher aux doigts raidis du chauve. Mais ce dernier devait être encore plus fort mort que vivant. Tosca ne parvint pas à s'emparer de l'arme à temps. Un autre pourri avait plongé. Avec un « han » de bûcheron, il abattit sa semelle sur la main du chauve, écrasant les doigts, cassant les articulations. Ensuite, ce fut beaucoup plus facile. D'un mouvement violent, il tira le flingue et parvint enfin à s'en emparer.

— Tue-le ! hurla encore Tosca. Tue-le !

Il en bavait de haine et de panique. Bolan laissa le canon se relever vers lui, n'eut qu'à effleurer la détente déjà à mi-course de l'Uzi. En bas, le casseur de doigts eut l'air d'éternuer en se cassant en deux. La 9 mm lui avait traversé le cœur. Il était déjà mort en s'écroulant sur Tosca. Complètement dépassé, celui-ci poussa un hurlement de peur en roulant sur le côté. Puis il se redressa, se mit à courir le long du mur, se heurtant aux survivants, allant s'écraser les poings sur l'acier de la porte.

Il n'avait pas supporté ce neuvième mort.

Il ne vit pas les deux suivants tomber derrière lui. Quant au douzième, juste avant de recevoir la balle de l'Exécuteur dans le cou et de regarder stupidement le jet de sa carotide sectionnée arroser le ciment, il avait eu le temps de ramasser le S&W et de tirer. Mais, trop pressé, il n'avait pas pris le temps de viser. Son projectile passa à un bon demi-mètre du Grand fumier et alla se perdre dans la toiture. En revanche, celle de Bolan ne l'avait pas raté. La moitié du cou éclaté, perdant son sang en jet d'arrosage, il essaya encore d'appuyer sur la détente du S&W. Mais les forces l'avaient subitement abandonné. Son index devint tout mou et ses jambes se dérobèrent sous lui. Il tomba sur les genoux, alors que la violence de son hémorragie se calmait d'un coup. Exsangue, regard terni et plein d'incompréhension, il lâcha l'arme, bascula lentement en avant, s'écrasa la face sur le ciment poisseux de sang, eut encore quelques brèves convulsions et s'immobilisa enfin.

Le treizième mort fut l'espèce de géant qui s'était placé à la verticale de la grosse poutrelle. Il faut dire qu'entre-temps, il avait profité de l'inattention de Bolan pour tenter de grimper vers lui en utilisant les énormes câbles électriques fixés au mur. Il reçut la balle de l'Uzi exactement au milieu du crâne, alors qu'il avait réussi à s'élever de six bons mètres. D'abord, on aurait pu croire que l'Exécuteur l'avait raté. Quand l'ogive brûlante le frappa, il n'eut qu'un faible tressaillement et continua à grimper. Mais, alors que sa main gauche allait se refermer un peu plus haut sur le câble, elle se mit à trembler violemment en s'ouvrant nerveusement. Puis ses jambes bougèrent frénétiquement dans le vide et il lâcha prise en émettant un grognement étrange. Alors seulement, le morceau de boîte crânienne qui avait été fracassé par la balle se détacha de la masse de cheveux qui le retenait en place et un flot de sang se mit à couler, accompagnant la chute du géant.

Juste à cet instant, le destin intervint.

De manière insolite.

Un autre pourri passait exactement à cet endroit. Un tout petit maigre qui, depuis le début du carnage, cherchait plus calmement que les autres l'abri idéal. Cette fois, il en trouva un auquel il n'aurait jamais songé.

Le grand cadavre du géant.

Ce dernier lui arriva dessus sans crier gare. L'écrasant de sa masse, l'assommant net contre le béton du sol, l'aplatissant comme une crêpe. Scène tragi-comique, digne d'un dessin animé. Au point que Bolan en sourit, vraiment amusé.

Un très bref sourire.

L'instant d'après, il abrégeait la panique des quatorzième et quinzième macs. L'un fut touché en plein front et tomba en arrière en battant des bras, l'autre, moins bien placé, encaissa le projectile dans la poitrine. Pourtant, comme le précédent, il mourut instantanément. Au passage, la balle lui avait sectionné l'aorte et éclaté le poumon. Il vomit un flot de sang, tomba en avant en s'écrasant le nez sur le ciment.

Un cri fusa du fond de l'entrepôt. Près de la grande porte. Malgré sa peur panique, Tosca avait fait les comptes. Et il voyait clair. A part lui et l'Exécuteur, plus un seul homme debout. N'ayant pas assisté à la scène du petit maigre assommé par le cadavre du géant, il se croyait le dernier. Il allait donc mourir maintenant. Puis, d'un coup, il se souvint de la déclaration de Bolan à propos du nombre de ses munitions. Un formidable espoir le galvanisa. Si tout le monde à part lui était au tapis, ça voulait dire que l'arme du Grand fumier était vide.

Il était sauvé !

C'était lui que Bolan avait finalement épargné pour porter le message à « Star » Fracco. Et, entre deux catastrophes, Tosca préférait nettement cette dernière. Il se précipita au milieu de l'entrepôt. Mains et tête levées, il cria :

— T'as eu raison, Bolan. T'as eu raison de descendre tous ces cons. Moi, je peux trouver un arrangement avec « Star » Fracco. Vous pouvez vous mettre d'accord ensemble et je serai l'intermédiaire. Je ferai tout ce que tu...

— La seule chose qui puisse me mettre d'accord avec vous tous, coupa l'Exécuteur de sa voix d'outre-tombe, c'est ça.

Il leva le canon de l'Uzi et Tosca vit l'orifice noir du réducteur de son exactement dans l'alignement de ses yeux. Il recula, pâlit de nouveau en implorant :

— Tu peux pas faire ça, Bolan ! T'avais dit que...

— Je sais ce que j'ai dit, coupa encore Bolan. Salut, Tosca. Donne bien le bonjour à ton patron le diable.

Sur ces mots, il enfonça la détente de l'Uzi pour la seizième fois. L'arme tressauta à peine dans ses mains et, au beau milieu du front du chef mac, une fleur rouge apparut, qui pleurait des larmes de sang. Tosca sursauta sous l'impact, ouvrit tout grand la bouche sur une ultime protestation muette et s'écroula en arrière.

L'Exécuteur remit l'Uzi en sautoir sur son thorax, quitta la poutrelle en empruntant les câbles par lesquels il était lui-même monté avec le cadavre de Donello, alla retourner celui du mac géant. Dessous, marinant dans une mare de sang, le petit mac maigre était toujours dans les pommes. Bolan le réveilla de deux gifles sans grande tendresse, lui empoigna le col et, tandis que l'autre ouvrait la bouche de saisissement, il lui glissa une médaille de tireur d'élite entre les dents.

— Porte ça à « Star » Fracco en personne, petit veinard, gronda-t-il. Et s'il ne te tue pas lui-même, tâche de ne jamais plus croiser ma route. Parce que cette fois, il n'y aura plus de grâce.

Le petit maigre hochait fébrilement la tête. Hoquetant de peur, il en pleurait presque. Ridicule avec son masque rougi par le sang du géant, il ressemblait à un mauvais clown dépassé par un bide.

— Oui... oui, dit-il enfin, en prenant garde de ne pas recracher la médaille. Je ferai comme tu dis, Bolan.

Il zozotait, pleurait de plus belle. L'Exécuteur lui lâcha le col, se redressa en ajoutant :

— Dis aussi à Fracco que je suis venu foutre le feu à son fief et que je le tuerai bientôt.

Puis, tranquillement, il alla récupérer le mini-radio-transistor qu'il avait glissé dans une anfractuosité de cloison, et dont il s'était servi pour amplifier sa voix véhiculée par un micro sans fil. Un simple gadget de bazar. Ensuite, laissant derrière lui dix-huit cadavres d'*amici*, il fit sauter la serrure d'un formidable coup de pied et regagna le char de guerre qui l'attendait plus loin.

Jusqu'alors, sa guerre de Los Angeles se soldait par quelques morts de sous-fifres. Bientôt, il allait chasser le gros gibier. A moins que « Star » Fracco ne se transforme lui-même bientôt en chasseur. Car les petits messages tendres de Bolan le Fumier allaient bien finir par l'énerver, le gnôme.

CHAPITRE HUITIEME

— Répète un peu ça, espèce de nabot !

Dans la bouche de « Star » Fracco, le terme avait des résonances particulièrement savoureuses. Car, en tout état de cause, malgré les talonnettes intérieures et les talons extérieurs de ses boots, « Star » Fracco mesurait quand même quelques centimètres de moins que le petit mac. Mais, dans l'esprit tordu de Fracco, sans doute la puissance hiérarchique conférait-elle une silhouette plus imposante. Saisissant le petit mac maigre au col, comme l'avait fait Bolan plus tôt, il le secoua, tel un prunier, en insistant :

— Répète, sale pourriture de mac !

Sans les macs, Fracco aurait vu sa fortune amputée d'un quart de ses sombres revenus. Mais ce détail ne lui venait présentement pas à l'esprit. Fou de rage, il ne songeait qu'à une chose. En vingt-quatre heures, Bolan le Fumier lui avait flingué plus de bonshommes à lui seul qu'une guerre atomique aurait pu le faire. Et les médailles de tireur d'élite, il en avait maintenant à revendre. L'horreur. La haine bouillait en lui à la manière d'un autocuiseur. Quand ça exploserait, vaudrait mieux que les témoins soient loin.

— Répète, hurla-t-il encore.

— C'est vrai, gémit le petit mac. Je jure que les hommes ont tout fait pour le descendre, ce fumier. Mais y avait rien à faire. C'est le diable, ce type.

Vexé, Dino « Star » envoya une baffe monumentale dans le portrait du maigre mac. Histoire de faire respecter les vraies valeurs. Le diable, c'était pas ce fumier de Bolan. Le diable, le seul diable, c'était Dino « Star » Fracco. Et personne d'autre. Il allait falloir que chacun s'en souvienne. A commencer par ce connard de nain de mac.

Dino se tourna vers le rouquin Felipe et aboya :

— Emmène-moi ce pédé faire un tour.

— Non !

Le petit mac maigre avait compris. Ce langage-là, il le parlait depuis toujours. Pour se venger de Bolan, ce gnôme de Fracco allait le faire buter. Lui qui avait réussi à échapper à Bolan le Fumier ! C'était trop injuste. Alors, tandis que la terrible poigne de Felipe le décollait inexorablement du beau tapis persan, il hurla encore :

— Non ! Ecoutez, boss ! Ecoutez... j'ai une idée.

Felipe hésita, regarda Fracco, interrogatif. Celui-ci se mit à baver de rage.

— Embarque-moi ce pédé ! T'as compris, pédé ?

Ce bon vieux tic linguistique qui revenait.

Emporté par son humeur, Fracco envoya un coup de pied, destiné au bas-ventre du petit mac.

Mais, soulevé par Felipe, ce dernier était trop haut. Ce fut le tibia du gorille qui encaissa. Le rouquin esquissa une grimace mais ne dit rien. Quand « Star » Fracco était dans cet état, tout le monde risquait sa vie. Bien sûr, le petit mac n'avait plus rien à perdre. Gesticulant de plus belle, il hurlait sans discontinuer :

— J'ai une idée, boss ! Une sacrée bonne idée ! Le Grand fumier, je peux l'avoir.

D'abord, il sembla que Fracco n'eût rien entendu. Puis, alors qu'il avait déjà tourné le dos, et que, mains dans le dos, à la Napoléon, il donnait tous les signes de la profonde réflexion, sa minuscule carcasse parut encore se tasser. Enfin, faisant lentement volte-face, il apostropha Felipe qui transportait le mac hors du salon :

— Où tu vas, pédé ?

Le rouquin s'arrêta net.

— Ben... je...

— Ta gueule, pédé. T'as pas entendu que ce pédé de nain avait une idée ?

— Ben...

— Alors ! coupa Fracco en s'adressant au petit mac. Comme ça, t'as une idée pour coincer le fumier, hein !

Un sourire bien torve aux lèvres, battant toujours l'air de ses petites jambes et la peur définitivement accrochée au ventre, le petit mac hocha la tête :

— Sûr, boss. Je peux l'avoir, le fumier.

Un éclair de cruauté passa dans les prunelles du *capo*. Il grinça :

— Si tu te fous de ma gueule, Felipe t'arrachera les joyeuses, pédé. Ça lui fera vachement plaisir, à ce pédé. Vu que ça fait longtemps qu'on lui a coupé, à lui.

Ce qui était parfaitement exact. Bien avant que le *Protector* ne prenne les affaires en main, les guerres de clans n'étaient pas rares au sein de la mafia US. Felipe en avait été une des malheureuses victimes. Depuis, il vouait une haine sans limite à tous ceux qui en possédaient encore.

— C'est... c'est pas du charre, boss, pleurnicha le mac. Je jure que c'est pas du charre !

— Accouche, enfoiré !

Fracco oubliait parfois qu'il adorait le mot pédé. L'autre lâcha très vite :

— J'ai vu son van, au fumier. J'ai même relevé le numéro.

Fracco tiqua.

— Comment ça ?

— Quand il est parti. Je l'ai suivi. J'arrive toujours à me glisser partout sans qu'on me repère, boss.

Il en ruisselait d'orgueil, le mac. Mais Fracco le ramena aux dures réalités. D'une nouvelle baffe en plein portrait, il le calma.

— C'est pas toi qui m'intéresses, pédé ! C'est l'autre enflé. Raconte.

Le mac essuya d'un revers de main le sang qui coulait de son nez tuméfié et poursuivit :

— L'idée, c'est que je fasse passer le signalement et le numéro du van à toutes les putes de la ville, boss. Puis, on ferait comme la télé. On ouvrirait un standard.

— Un standard ?

— Enfin, on leur donnerait un numéro à appeler au cas où elles repéreraient le van et...

— Ta gueule, pédé ! Je suis pas bouché.

Fracco sembla réfléchir encore plus intensément. Mains dans le dos, marchant nerveusement de long en large, il avait le front plissé comme un volant de robe gitane. De son côté, n'ayant pas reçu d'ordre, Felipe le maintenait toujours en l'air, encaissant stoïquement les coups de talons que lui envoyait le minuscule mac.

Stoïquement, jusqu'à un certain point.

Quand il en fut vraiment agacé, il lui asséna un petit coup rageur du plat de la main. Dans la nuque. Le mac lâcha un hoquet incongru, ouvrit tout grand la bouche et, les yeux soudain révulsés, se fit tout mou dans la pogne du porte-flingue. Juste à cet instant, Fracco stoppa sur place et, sans regarder personne, hocha la tête :

— OK, pédé. Tu viens de sauver ta peau. Provisoirement, précisa-t-il en agitant un index professoral. Provisoirement seulement. Parce que, ton idée, c'est toi qui vas t'en occuper sur le terrain. Mais, si tu le rates, le Grand fumier, moi, je te louperai pas, pédé. Maintenant, casse-toi.

Un peu embarrassé, Felipe faillit faire remarquer l'état du mac. Finalement, imaginant les foudres du boss, il préféra n'en rien faire. Il sortit donc, avec le mac toujours évanoui à bout de bras.

Pour la décision du boss, il lui expliquerait. A son réveil.

— Et toi, hurla de nouveau Fracco à l'adresse du rouquin, envoie-moi ce pédé de Bo !

Quand les putes auraient repéré le van du fumier, il faudrait être prêt. Cette fois, Bolan n'aurait aucune chance d'en sortir. Bo et les hommes de sa nouvelle équipe se feraient un plaisir de le réduire en bouillie, le Grand fumier.

La tonalité de la console technique du char de guerre tira Bolan de son premier sommeil. Il quitta la couchette de la cabine de repos pour gagner le module opérationnel et décrocha le combiné du radio-téléphone-satellite.

— *Stricker* ?

La voix de Brognola. Instantanément lucide, Bolan protégea la ligne sous brouilleur et lança :

— Affirmatif. Un problème ?

— *Peut-être*, fit le fédéral. *Je viens d'apprendre par Necker que le signalement de ton van a été diffusé à toutes les putes de L.A. Ainsi qu'aux dealers et aux homos qui opèrent un peu partout sur la côte.*

Bolan sourit. Les amici avaient déjà monté ce genre d'opération contre lui. Sans grand succès. Au bout de la ligne, Hal questionna :

— *Tu vois d'où ça peut venir* ?

— Sûrement, répondit l'Exécuteur.

Il relata le blitz de l'entrepôt en précisant :

— Probablement le petit mac que j'ai chargé du message à Fracco. Il aura vu le char de guerre de loin.

— *Je suis sûr que tu t'es arrangé pour qu'on le voie,* finit par émettre Brognola. *T'es assez vicelard pour ça.*

Bolan éluda :

— Des nouvelles de la gamine de l'*Etna* ?

— *Ah oui,* fit le fédéral pour qui cela ne semblait être qu'un détail. *Elle est au Central Receiving Hospital. Admise sous l'identité d'emprunt de Betty Lambre. Salement amochée. On a dû l'opérer.*

— Qu'est-ce que ça veut dire, salement amochée ?

Dans les prunelles minérales de l'Exécuteur, un éclair glacial avait fulguré.

— *Ben... elle pourra jamais avoir de mômes, quoi.*

Gêné, Brognola. Malgré des années passées dans la police et de confrontation avec le crime, il n'arrivait pas à se faire à l'idée qu'on puisse faire du mal aux jeunes. Réaction viscérale, dont il savait qu'elle était partagée par Mack Bolan.

— Je vois, soupira ce dernier.

Il se félicita d'avoir flingué tout ce petit monde, à commencer par le chef, cette pourriture de Stacano. Il ajouta :

— J'irai la voir. Tu as quelqu'un pour s'occuper d'elle, sur L.A. ?

— *Une psy. Une fille bien. Susan Geer. Elle ne s'occupe que de ce genre de cas.*

Bolan nota les coordonnées de la psy et enchaîna :

— Tu me téléphonais juste pour me dire que le van était repéré ?

— *Négatif. Phil m'a chargé de te communiquer un nom. Teddy Oberlon. Tu connais ?*

Bolan fit la moue.

— Je peux consulter mon listing-computer.

— *Pas la peine de fatiguer l'engin*, balaya le fédéral. *Oberlon siège à la Commission sénatoriale de la censure.*

Nouvelle moue de l'Exécuteur.

— Et alors ?

— *Alors, son nom figure également dans les listes de la* Commissione. *Selon Phil, ce serait tout récent et ce nom ne serait connu que du vieux Frank Marioni et de deux autres* super-capi. *Mais Marioni n'a pas jugé bon d'en informer son* consigliere.

Sous-entendu, Necker en personne.

— Et on ignore évidemment ce qu'un type de la Commission sénatoriale fiche sur ces listes, hein ?

— *Exact*, répondit Hal. *Phil tenait à nous prévenir et à nous demander de l'aider à réfléchir.*

— OK, fit Bolan. Je vais y réfléchir. Rien d'autre ?

— *Si*, dit sombrement Brognola. *Un détail. Le genre de détail qui justifie à lui seul que je t'appelle en pleine nuit.*

Intéressé, Bolan se pencha sur la console.

— Accouche, Hal.

Un petit silence, puis :

— *Henry Korth. Ça te dit quelque chose ?*

Bolan haussa un sourcil. Un type comme lui ne pouvait ignorer le nom d'Henry Korth. C'était celui du chef du SWAT. Le Special Weapons and

Assault Team, groupe d'intervention antiterroriste et anticommandos de Californie.

— Affirmatif, lança-t-il. Qu'est-ce qu'il a à voir avec nous, Korth ?

— *Phil sait que Korth a été contacté aujourd'hui par le* consigliere *de Samos Barra.*

Samos Barra n'était ni plus, ni moins que le *big-capo*, le parrain de Los Angeles. En elle-même, l'information était de la dynamite. Brognola laissa Bolan digérer la nouvelle, avant de reprendre :

— *Il sait aussi qu'ils doivent se rencontrer très prochainement. Mais il ignore encore où et quand. Il nous le fera savoir si possible.*

Le fédéral marqua une légère pause, avant d'ajouter, pessimiste :

— *Toutes les infos ne sont pas systématiquement dispatchées vers le sommet de la* Commissione.

— Je sais, répliqua Bolan, soucieux.

Il ne comprenait pas bien ce que tout ça voulait dire, mais un mauvais pressentiment lui faisait augurer du pire.

— *Ça doit être gros, cette combine,* lança encore Brognola. *C'est drôle,* ajouta-t-il, songeur, *j'ai l'impression qu'on pourrait lever un sacré lièvre. Ton blitz sur L.A. risque fort de sortir des limites du raisonnable.*

En d'autres circonstances, Bolan aurait souri. Même un peu particuliers comme l'était le fédéral, les fonctionnaires avaient parfois d'étranges façons de dire les choses. Les limites du raisonnable ! Rien que pour ce début de guerre, l'Exécuteur avait déjà plus de vingt cadavres *d'amici* à son actif. Pour un peu, il ne resterait plus que les grands chefs à flinguer.

— *Stricker* ?

Bolan était plongé dans de sombres, de très sombres pensées. Il grogna :

— Ouais !

— *Tu sais,* reprit le fédéral, d'un ton hésitant, *je suis en train de... non, c'est pas possible, un truc comme ça.*

— Je le connais ton scénario, Hal, fit Bolan. Je viens de faire le même.

Un petit rire sec résonna dans la sono de console technique.

— *Ça m'étonnerait,* fit Brognola.

Petit sourire de Bolan qui, une étrange lueur dans son regard d'acier, déclara :

— Mon scénario à moi, c'est que Samos Barra fait tout simplement appel à son petit copain Henry Korth pour me faire la peau. Et ton histoire, à toi, c'est quoi ?

Le silence qui suivit fut d'un poids significatif pour les deux hommes. Quand le fédéral reprit la parole, sa voix était changée. Plus sourde.

— *On a sûrement trop d'imagination, Stricker.*

— Sûrement, acquiesça l'Exécuteur.

— *Bon,* renvoya Brognola. *On se tient au courant.*

— Affirmatif. Merci pour les tuyaux.

Bolan allait raccrocher, quand son petit sourire dur réapparut. Il lança, in extremis :

— Eh, Hal ?

— *J'écoute.*

— Phil doit bien avoir son petit scénario aussi, non ?

Nouveau petit silence, puis :

— *Affirmatif.*

Un éclair passa dans le regard de l'Exécuteur.

— On peut savoir ?

Brève hésitation du fédéral, qui finit par avouer :

— *Le même scénario, Stricker.*

Mack Bolan hocha la tête, satisfait. Moqueur, il lança dans le micro :

— C'est bien ça, Hal. Tous les trois, on a trop d'imagination.

Il coupa le circuit et, autour de lui, le silence se fit épais. Total. Il était de nouveau seul. Seul dans l'immense et hostile mégalopole qui, d'un moment à l'autre, pouvait se transformer en un piège mortel.

Toujours l'imagination...

CHAPITRE NEUVIEME

Un mètre quatre-vingt-douze, des épaules d'altérophile, une taille de gymnaste, des poings meurtriers au bout de deux bras musculeux, une gueule de dieu grec et un regard d'acier, tel était ce superbe fauve, surnommé le tigre. A trente-quatre ans, Henry Korth avait déjà presque tous les cheveux blancs.

Sans doute à cause de Diane.

Seul signe de relâchement dans la magnifique mécanique qui constituait le chef des SWAT de Californie, deux plis d'amertume de chaque côté d'une bouche au dessin résolument viril.

Sans doute à cause de Diane.

Henri Korth était marié. Père de deux beaux enfants, Henry junior et Samantha. Sa femme, jeune Texane de vingt-huit ans, aimante, excellente mère et fidèle épouse, n'avait qu'un seul défaut. Elle était frigide. Ou presque. Henry s'en était aperçu un peu tard.

Sans doute à cause de Diane.

Diane Bonder était jeune. Juste vingt-deux ans.

Et très belle, très aimante, très amante et très experte en amour. Mais elle était surtout très, très dépensière. Et comme elle était la maîtresse et non l'épouse, Henry Korth lui pardonnait tout. Logique. Même ses « infidélités », ce qui était un tout petit peu moins logique, de la part d'un homme éperdument amoureux et jaloux de surcroît.

Mais Henry Korth avait une philosophie très personnelle sur l'existence en général et la sienne propre en particulier. De par son métier, il pouvait être tué demain. Alors, il supportait tout. L'amour encombrant de son épouse, les excès de toutes sortes de sa maîtresse et sa propre lâcheté. Dans ce domaine uniquement. Parce qu'en ce qui concernait son courage physique sur le terrain, il n'y avait rien d'autre à dire que bravo. Korth ne connaissait pas le mot abandon. Quand il était au contact des salopards qu'il était chargé de neutraliser, il n'y avait plus, ni famille, ni maîtresse, ni peur. Intelligent et froid, il savait instinctivement apprécier toutes les situations et les utilisait toujours à l'avantage de la loi qu'il représentait. N'exposant jamais inutilement ses hommes ou les otages éventuels, veillant toujours à ce qu'aucun innocent ne soit blessé ou tué, il attendait le moment optima avant de frapper.

Quand il le faisait, c'était très vite et très fort.

Jamais de quartier.

Quand les autorités avaient recours au SWAT, c'était toujours à la dernière extrémité. Dans ce cas, les ordres étaient formels. Neutralisation absolue. Ce qui, dans la plupart des cas, sous-entendait la mort pour ceux d'en face.

Mais ce jour-là, alors qu'à seize heures précises, Henry Korth garait son coupé Plymouth Turismo modèle 85 sur le parking de Grand Central Market, il n'était pas question de mission officielle. Il n'était venu que pour rencontrer l'homme qui allait lui faire gagner vingt mille dollars.

Un homme dont il ne connaissait pas le nom.

Il quitta la Plymouth de son pas souple de grand fauve tranquille, poussa les portes du centre commercial, puis celles d'un supermarket. Comme tout le monde, il s'empara d'un caddie qu'il poussa devant lui, y déposant de temps à autre quelques menues marchandises. Enfin, ayant fait deux fois le tour du rayon des conserves en boîtes, il s'arrêta devant la console des produits diététiques et s'empara de deux boîtes de Kellogs qu'il disposa dans le caddie. Quand il se redressa, un autre caddie s'était placé près du sien.

— Vous aimez les Kellogs, je vois.

Korth photographia instantanément l'homme. Plutôt rond, un visage qui se voulait jovial, tenue vestimentaire de bon faiseur. Derrière de larges lunettes fumées, l'inconnu observait attentivement Korth. Celui-ci répliqua :

— Non. Les Kellogs m'empêchent seulement de fumer.

Ce qui était parfaitement stupide, mais constituait une non moins stupide formule de reconnaissance.

— Suivez-moi, enjoignit l'homme.

Chacun à une caisse séparée, ils réglèrent leurs achats et, l'un derrière l'autre, poussant toujours leurs caddies, ils rejoignirent leurs véhicules respectifs. Du coin de l'œil, Henry Korth repéra la Dodge Lancer crème de l'inconnu, puis, ayant réintégré sa Plymouth, se mit à suivre la Dodge qui démarrait lentement.

Ils ne roulèrent pas longtemps, et sans quitter les limites de L.A. Downtown. Empruntant Broadway Avenue, ils tournèrent dans la sixième rue, longèrent l'imposante façade de la Crocker Bank, puis celle de l'United California Bank, avant de tourner encore dans Figueroa Street et de s'arrêter devant le Hilton. Imitant son guide, Korth quitta sa voiture pour le suivre dans le gigantesque et magnifique hall de marbre où les plantes se sentaient comme chez elles. Ils laissèrent le desk et ses écrans d'ordinateurs à gauche et gagnèrent les ascenseurs desservant les 1250 chambres. Toujours suivant son cicerone, Korth pénétra à sa suite dans une cabine. Il se demandait où il allait, et surtout, qui il allait rencontrer. Car, depuis leur première prise de contact téléphonique, les deux hommes ne s'étaient dit que l'essentiel. A savoir que l'Organisation aurait peut-être besoin des services de Korth un jour, et que, de son côté, moyennant le gros paquet, il serait prêt à louer lesdits services.

Henry Korth avait effectivement besoin de beaucoup d'argent.

Sans doute à cause de Diane.

Ils arrivaient au huitième étage. L'homme

laissa quelques personnes les précéder dans le long couloir et remonta ce dernier jusqu'à une porte à laquelle il frappa. Derrière lui, Korth arrivait juste, quand le panneau s'ouvrit. L'inconnu pénétra dans la chambre, l'invitant d'un regard à le suivre. Korth passa la porte, tourna la tête vers l'homme qui venait de leur ouvrir et crut que le ciel lui tombait sur la tête.

— Bonjour, capitaine Korth.

C'était drôle. Arness Morgan, chef de la police municipale de L.A., avait la même voix que dans ses interviews à la télé. Une voix belle et franche, qui collait parfaitement avec son sourire légendaire. Le même sourire qu'il affichait maintenant.

En plus froid.

Car celui-là ressemblait à celui d'un crotale.

— Salut. Ça va ?

Shere Dunn esquissa une grimace qui voulait peut-être ressembler à un sourire.

— Le pied, dit-elle d'une voix affaiblie. J'ai déjà eu vingt-sept orgasmes depuis l'opération.

Elle avait à peine quinze ans !

Bolan s'assit au bord du lit et plongea son regard d'acier dans celui de la gamine. Ils restèrent un long moment à s'observer, avant qu'elle ne questionne dans un soupir :

— OK. C'est quoi, votre truc ?

— Pardon ?

Agacée, elle secoua la tête.

— Je veux dire, vous faites quoi dans la vie? Curé ?

Bolan sourit. Pour un ministre de Dieu, il employait de bien étranges arguments. A son tour, il secoua la tête.

— Parlons de toi. Qu'est-ce que je fais de tes papiers ? Je te les rends, ou je les confie à une amie ?

Pour toute réponse, elle sortit une main de sous le drap, et la tendit, autoritaire.

— Donnez toujours. On verra après.

Ne voyant pas pourquoi il les lui garderait contre son gré, il les lui remit en précisant :

— Mon offre reste valable.

Shere eut de nouveau un mouvement d'irritation, avant de questionner, acerbe :

— C'est quoi, au juste, cette copine ? Flic ?

— Psy.

— Hein ?

Bolan se pencha.

— Ecoute, petite maline, dit-il le plus gentiment possible. J'ai comme l'impression que tu ne t'en sortiras pas vraiment toute seule. Et si tes parents avaient pu t'aider, ce serait déjà fait, pas vrai ?

Silence buté. Il reprit :

— Alors, peut-être qu'une bonne copine pourrait t'aider. Pas vrai ?

— Vous parlez de votre copine. Pas de la mienne.

C'était assez plein de bon sens. Mais, pour la réinsertion, il y avait du souci à se faire. Chez Bolan, la colère montait tout doucement. Il se leva, grinça :

— Si tu cherches un nouveau mac, j'ai aussi ce qu'il te faut.

— Vous ?

Il n'allait quand même pas la gifler sur un lit d'hôpital. Mais le regard qu'il lui lança fit un peu peur à la jeune Shere. Elle battit des cils en laissant sa tête aller dans l'oreiller.

— Pardon, dit-elle. J'oubliais que vous avez tué ces deux salauds.

— Dix-neuf.

— Hein ?

Granitique, il répéta :

— Dix-neuf. J'ai tué dix-neuf types. Stacano, le barman et dix-sept macs, dont leur chef. Mais ne pavoise pas. J'avais décidé de les buter de toute façon.

Elle le regarda d'une autre façon. Apparemment dépassée, elle le fixait de ses larges prunelles encore fiévreuses, cherchant visiblement que dire et ne le trouvant pas. Finalement, elle battit des cils et abdiqua :

— OK. Envoyez-la, votre scientifique de l'âme. Ça fera toujours quelqu'un à qui parler.

Bolan hocha la tête et regagna la porte. Avant de l'ouvrir, il se retourna pour poser la question qui lui tenait à cœur :

— Dis, Shere, qu'est-ce qui fait qu'une fille de quinze ans fiche le camp de chez ses parents ?

Elle parut éluder la question d'un petit geste désinvolte, réfléchit et lança :

— Finalement, je crois que c'est à cause du ciné.

Bolan fronça les sourcils.

— Le ciné ?

— Ben oui, avoua Shere, avec un air d'évidence. Les derniers temps, j'y allais jusqu'à quatre fois par semaine.

— Et ils ne supportaient pas ça, tes parents ?

— Non. Faut dire que, les deux dernières fois, je suis rentrée à la maison avec un petit « rock ». Mon père m'a surprise avec ça et ça été tout un scandale. La volée et tout, quoi, si vous voyez.

Bolan voyait. Mais il laissait désormais à la psy de Brognola le soin de trier tout ça et de recoller les morceaux. Sa spécialité, à lui, c'était la guerre. La vraie. Avec le feu, l'acier, le sang et les larmes. Avec aussi les bons et les méchants.

Et des méchants, le vaste monde en était plein.

— Dites !

Il avait déjà ouvert la porte, quand la voix de Shere le retint sur le seuil. Il tourna de nouveau la tête et elle questionna :

— C'est comment, votre nom ?

Il lui lança un regard en biais, avant de déclarer :

— Bolan. Mack Bolan. Mais que ça reste entre nous.

Pour la première fois, elle lui sourit et cela lui fit chaud au cœur. Mais il allait disparaître, quand elle l'apostropha de nouveau :

— Eh, Mack !

Nouvel échange de regards. Celui de Shere pétillait. Elle eut un petit mouvement de menton en direction de la main droite de Bolan.

— Et ça, dit-elle, ça pourrait pas rester entre nous aussi, des fois ?

Il baissa les yeux, se rendit alors compte qu'il avait complètement oublié le bouquet. Un tout petit bouquet de fleurs des champs, acheté à prix d'or sur Wilshire Boulevard. Etrangement confus, il revint vers le chevet de Shere, glissa les tiges fragiles dans le col de la carafe d'eau et quitta la chambre comme un voleur.

Sans voir que, dans son dos, le sourire de la jeune Shere était soudain devenu presque heureux.

CHAPITRE DIX

— Et vos flingueurs ne peuvent pas lui faire la peau, à votre type?

L'étonnement perçait dans la voix d'Henry Korth. En spécialiste, il savait qu'aucun homme ne pouvait échapper à une équipe décidée à le tuer. Alors, il ne comprenait pas. Le *consigliere* de Samos Barra se détourna du décor qu'il contemplait par la fenêtre et, mains dans le dos, revint vers Korth en affichant son air jovial.

— Nos... spécialistes essaient depuis longtemps, capitaine. Si nous faisons aujourd'hui appel à vous, et si nous vous proposons autant d'argent, c'est parce que nous sommes convaincus qu'il nous faut maintenant le meilleur spécialiste de la question.

Il fit quelques pas dans la grande chambre bleue, revint en regardant alternativement Arness Morgan et Korth. Ce fut encore à ce dernier qu'il s'adressa :

— Résoudre le problème est maintenant très important pour nous, capitaine. C'est pourquoi le capitaine Morgan et moi avons élaboré ce plan.

Il désignait précisément le « bleu » d'étude étalé sur la table basse. Un plan de Los Angeles. Avec, tracés dessus aux feutres de couleurs, des croix, des cercles et des flèches. Bien entendu, Korth avait étudié ce plan avec les deux hommes et en avait saisi toute la stratégie. Mais, pour donner un avis complet, il lui manquait un élément essentiel.

La « cible ».

Impossible de faire cracher le nom de cette cible au *consigliere*. C'était frustrant. D'autant que, Korth en était certain, Arness Morgan, lui, était au courant de tout. Korth savait seulement que, le jour choisi, la cible se déplacerait en ville à bord d'une voiture blindée. Alors, tout naturellement, il en avait déduit qu'il s'agissait sûrement d'une huile de la mafia. Un concurrent du boss pour qui travaillait l'inconnu jovial.

Encore une fois, Korth tenta :

— N'empêche que si je savais à qui j'aurai affaire, je pourrais mieux organiser l'action.

Petit sourire du *consigliere*.

— Je vous assure que cela ne changera strictement rien. A moins d'avoir affaire au diable, ce plan est infaillible.

Du moins, sur le papier. Mais, par expérience, Henry Korth savait qu'aucun plan d'action n'était absolument infaillible. Encore ignorait-il que, précisément, il aurait affaire au diable. Rino Grelli, le *consigliere* de Barra et le capitaine Morgan le savaient bien. Mais l'un comme l'autre se méfiait de la psychologie d'un baroudeur comme

Korth. Avec ce genre de type, on ne savait jamais vraiment où on allait. Dans ce milieu très élitiste des experts de l'action, l'esprit de confrérie n'était pas une légende. Alors, afin de ne pas tenter Korth de changer de bord avant le jour J, tout le monde avait préféré lui taire le nom de sa cible.

Morgan leva un regard explicite sur Grelli. A présent qu'était acquis l'accord de principe, il fallait coincer Korth. Grelli sourit à ce dernier, sortit une grosse enveloppe de sa poche et la tendit à l'homme du SWAT.

— Vous verrez, dit-il de sa voix douce. Tout se passera bien.

Korth ouvrit l'enveloppe d'un coup d'ongle décidé, compta rapidement les billets verts et la referma, satisfait. Ils avaient respecté les clauses du marché. Dix mille dollars au moment de l'accord, dix mille autres après l'opération. Il déplia son imposante carcasse, eut un vague signe de tête, avant de gagner la porte.

— Vous savez où me trouver, dit-il en ouvrant. Informez-moi de la date du jour J, suffisamment à l'avance.

— Ce sera fait, sourit le *consigliere*. A partir de maintenant, dites-vous tous les jours que ça peut être pour tout de suite.

Henry Korth leur lança un dernier regard d'acier, hocha de nouveau la tête et la porte se referma derrière lui. Dans la chambre, les deux autres gardèrent le silence un moment, avant que le capitaine Morgan ne souffle :

— Quand il saura, j'espère qu'il tiendra.

Rino Grelli alluma une Pall-Mall et prit le temps de souffler la fumée, avant de répondre, énigmatique :

— Il tiendra, capitaine. Il tiendra.

Il ne vit pas l'utilité de révéler au policier véreux que, grâce à un adroit travail d'approche des spécialistes du département stups de l'organisation, Diane Bonder s'était laissé séduire par les joies artificielles de la coke. Or, tout le monde le savait, un gramme de cocaïne coûtait entre 65 et 120 dollars. Désormais, la belle Diane Bonder serait de plus en plus dépensière.

Non, Korth ne flancherait pas.

Même quand il saurait que sa cible était Mack Bolan.

— Non, connard ! Tu te découvres au dernier moment !

Bo avait des envies de meurtre. Pour un peu, il en aurait perdu son légendaire sang-froid. Des heures que ça durait. Six flingueurs incapables. Tout juste bons à descendre un aveugle sourd, paraplégique et désarmé. Pour ce qui était l'action commando, on pouvait repasser. Des heures qu'ils s'entraînaient dans ce décor de cinéma à la gomme. De son long pas de géant habituellement placide, Bo traversa le plateau pour rejoindre le porte-flingue qu'il venait d'apostropher.

— Reprends ta place, ordonna-t-il. Et refais ce que tu viens de faire.

Pour sa part, tandis que l'autre obéissait sous les regards intéressés de ces cinq « confrères », Bo grimpa dans la reconstitution en tôle d'un fourgon blindé de cinéma. Un véhicule sensé être de tansport de fonds, et qui servait au tournage d'une série télé.

A Hollywood en général, et aux studios de la Paramount en particulier, on trouvait tous les accessoires nécessaires au tournage d'un film. Il suffisait de pouvoir y entrer et d'avoir les autorisations. De ce côté-là, Dino « Star » Fracco avait pourvu à tout. Son passé de comédien nain et ses amitiés liées à la drogue y avaient naturellement créé un terrain propice à diverses activités. Tels le racket, le négoce de la drogue, la prostitution mondaine, ou encore le simple chantage. D'où les facilités dont bénéficiaient Bo et son équipe pour « répéter ».

Pour répéter la scène finale d'un bien étrange scénario.

Celui de la mort de Bolan.

— Tiens-toi prêt, connard. J'arrive.

Joignant le mouvement à la parole, Bo quitta le fourgon et sauta sur la reconstitution du trottoir. Au même moment, le gorille qui s'était de nouveau planqué entre le véhicule et une voiture en stationnement jaillit, un énorme Python .357 Magnum au poing. Mais, avant que le percuteur du Colt n'ait eu le temps de frapper la cartouche à blanc qui se trouvait dans le barillet, un éclair blanc jaillit dans la main de Bo. Dans le quart de seconde suivant, l'imprudent n'avait plus de cravate. Sectionnée au niveau du nœud. Stupide, le type la regarda tomber sur ses chaussures. Livide, il fit un pas en arrière, les yeux maintenant rivés à la terrible lame. Dans la grosse main de Bo, le rasoir n'avait pas un frémissement.

— Tu vois, connard, fit l'ancien gorille de Manny Carrare. Tu vois, si j'avais voulu... il suffisait de quelques millimètres. Moi, ma spécialité, c'est les rasoirs. Le Grand fumier, sa spécialité, c'est tout à la fois. Tu sauras jamais comment il t'aura, mais, si tu fais le con comme ça devant lui, t'auras pas le temps de comprendre. Tu seras mort avant. *Capito* ?

Le pourri, un grand maigre au nez écrasé, qui avait au moins trente cadavres à son actif en quatre ans de carrière, hocha piteusement la tête.

— Si.

— Si qui, connard ?

Re-mouvement de tête du maigre.

— Si, Bo.

— On recommence tout, cria alors Bo, sans plus s'occuper de nez-cassé. Le premier qui déconne, je lui coupe une oreille.

Histoire de venger celle que Bolan lui avait fait exploser.

— Et on garde les flingues à l'ombre. Jusqu'à ce que j'arrive dans son dos, au fumier. Vu ?

Impressionnés par la démonstration du rasoir, les six *soldati* hochèrent vigoureusement la tête et disparurent une nouvelle fois entre les voitures.

— Bon, répéta Bo pour la énième fois. On était en bagnoles et on a suivi le van du Grand fumier à la trace. Avec les fourgonnettes de livraison, il a pas pu nous repérer.

Bo traversa le décor de rue, s'assit dans son véhicule et invita ses coéquipiers à l'y rejoindre. Aux trois autres, il enjoignit :

— En place.

Il prenait même les tics de langage des metteurs en scène. Mais aucun des hommes ne songea à en sourire. Ils pensaient tous aux terribles rasoirs qui ne demandaient qu'à jaillir des manches de Bo.

— Voilà, fit de nouveau Bo. Le van vient de stationner. On sait que le Grand fumier ne le quitte jamais sans avoir méthodiquement inspecté les environs. Y a des gus qui disent qu'il a fait installer un circuit vidéo dans son tank. Possible. Mais, ce qui est sûr, c'est qu'il possède un armement dingue. Mitrailleuse, lances-grenades, tourelle lance-missiles etc. Et surtout, surtout un enfoiré d'engin genre laser. Le boss appelle ça un canon thermique, mais on se fout du nom. Ce qui compte, c'est ce que ça fait.

Bo prit le temps d'allumer une cigarette à la menthe, avant de poursuivre sur un ton sinistre :

— Des *amici* de Palerme l'ont vu opérer, cet engin. Ils disent que ça fait fondre le verre, le béton, l'acier... et les connards qui se trouvent dans son rayon. On retrouve même pas le jus des connards en question. Rien que des cendres. Très peu de cendres.

— Alors, on a aucune chance, fit valoir le voisin direct de Bo, le conducteur de l'ambulance. Il va nous griller avant même qu'on arrive sur lui.

Bo eut un rictus mauvais, se tâta précautionneusement l'oreille, avant de répondre d'une voix lugubre :

— Reste à pas se faire repérer. Et ça, c'est mon affaire. Jusqu'à présent, tous les *amici* qu'il a tués sont morts d'avoir pas osé l'attaquer de près. Nous, on va lui tomber dessus en direct. Sans bazookas, sans grenades, sans même un seul P.M.

Il esquissa un nouveau rictus et reprit :

— Nous on l'aura en finesse. Au bluff. Et c'est pour ça que vous devez faire gaffe, bande de branleurs. Parce qu'à la moindre connerie, vous y passerez tous.

Un des types de la fourgonnette protesta, mauvais :

— Avec son van à la con, peut-être. Mais seul contre sept, faut pas déconner !

Bo hocha songeusement la tête enturbannée de pansements. Puis il cria soudain :

— Talon gauche !

— Hein ?

Le contradicteur n'avait pas fini de s'étonner qu'un coup de feu résonnait sous la voûte du plateau. Face à lui, à dix mètres, Bo n'avait pas bougé de l'ambulance et c'est à peine si son bras droit avait frémi. Pourtant, dans le centième de seconde qui suivit, le flingueur qui s'apprêtait à grimper dans la fourgonnette sentit un choc étrange au niveau de sa chaussure. Derrière lui, il y eut un petit bruit et il tourna la tête.

Pour voir son talon de chaussure voler dans le décor.

Celui de la chaussure gauche. Interdit, il reporta

son regard sur Bo, n'osant même plus bouger. Tranquille, ce dernier lui envoyait son petit rictus méchant.

— Tu vois, connard, dit-il. Moi, je tire vite et bien. Seulement vite et bien. Mais à côté de lui, le Grand fumier, je sais tout juste manier un hochet. Alors, tu fermes ta grande boîte à merde et tu fais ce que je dis.

La grande force de Bo était de ne jamais avoir sous-estimé l'adversaire. Sagesse que bien peu d'*amici* avaient eue jusqu'alors.

— On reprend, lança-t-il en se laissant aller contre le dossier du siège de l'ambulance. Et n'oubliez pas. On déconne, je coupe l'oreille.

Le soir même, après exactement cent cinquante-quatre répétitions de la fameuse scène finale, il n'y eut pas une seule oreille coupée. Mais rien ne prouvait qu'il en serait de même les jours suivants. Car Bo avait décidé de poursuivre les répétitions. De répéter tous les cas de figures possibles. Tous les scénarios imaginés par lui, aussi souvent, aussi longtemps qu'il le jugerait utile. Il n'avait plus qu'un but, la peau de Bolan. Plus qu'un souci, la perfection absolue.

Au jour J, il tuerait le Grand fumier. À sa manière.

CHAPITRE ONZE

— *J'ai du nouveau, Stricker.*

Mack Bolan bascula la communication du radio-téléphone-satellite sur le brouilleur. Il venait de garer le char de guerre sur un des nombreux parkings du Los Angeles County, côté Yacht-Club, et n'avait eu que le temps de sauter dans le module opérationnel pour décrocher sur la console technique. La seule qui comportait un brouilleur. La voix de Hal Brognola s'éleva de nouveau, très légèrement déformée :

— *Ça y est ? On est sous protection ?*

— Affirmatif.

— *Bon, alors, écoute bien. Tu sais ce que Phil a trouvé ?*

L'Exécuteur leva les yeux au ciel.

— Comment veux-tu que...

— *OK, OK ! t'énerve pas ! Je disais ça comme ça. Phil vient de m'appeler. Pour me dire qu'il avait déniché un nom intéressant dans les listings confidentiels de la* Commissione. *Ou plutôt, trois prénoms et un nom.*

— Explique-toi.

— *Dobson. Ça te dit quelque chose?*

— Négatif.

— *Les prénoms, c'est Sheila, Eve et Michaël.*

— Toujours négatif.

— *Ça touche au ciné.*

Bolan secoua la tête d'un air navré et gronda:

— Arrête tes conneries, Hal. Où est le problème?

— *Justement, je ne sais pas. Simplement, selon Phil, ces trois prénoms et ce patronyme figurent dans les tablettes de la* Commissione. *Plus ceux de Lynn Fraser. Une inconnue...*

— Ah?

— *Sous un nom de code.*

— Même exclamation, mec. Annonce.

— *Le code, c'est « Intox ».*

L'Exécuteur fronça les sourcils. Un mot, tout un programme. Sous ce vocable, on pouvait camoufler n'importe quoi. Y compris la fin du monde. Il maugréa:

— Bien reçu, James Bond. Tu me donnes la solution?

Un silence, puis:

— *Négatif, Stricker. Désolé. Pas moyen d'en savoir plus. Le genre de truc hyper-secret. En fouillant davantage, Phil risque trop.*

— OK. Qu'il reste tranquille. On va réfléchir. Tes Dobson, qu'est-ce qu'ils font, dans le ciné?

— *Traitement de films. Développement, copies, etc.*

— Bien reçu. Leur fief, c'est où?

— *Hollywood, bien sûr. Mais, si ça ne te fait rien, autant se voir, non ?*

Bolan marqua un temps, sourit, questionna enfin :

— Je vois. T'es dans le périmètre, hein ?

— *Affirmatif. Zoom un peu à tribord.*

L'Exécuteur aurait compris à demi-mots. D'un index négligent, il établit le circuit vidéo du char de guerre et braqua les caméras infrarouges à droite du véhicule. Aussitôt, au-dessus de la console technique, un écran vidéo s'alluma, montrant une large parcelle du parking. Agissant sur les curseurs de commandes, Bolan fit décrire un panoramique à la caméra tribord et opéra un zooming rapproché. Découvrant enfin la seule cabine publique occupée à cette heure, il porta le zoom à son maximum et retint un sourire.

— Ça va, dit-il en se penchant de nouveau sur le micro. Tu aurais pu éviter cette dépense aux contribuables.

De fait, en passant clandestinement par les relais satellites, Bolan faisait supporter le prix de ses communications à l'ensemble du peuple américain. Mais les services qu'il lui rendait en retour...

— Amène-toi, Dakota, lança-t-il enfin. On va parler.

Dakota. Le mot de passe. Celui sans lequel rien ne pouvait se faire en période et en zone « sensible », quand il ne le fallait pas. Il aurait en effet suffi que l'Exécuteur soit en difficulté quelconque pour que, ne prononçant pas ce mot, Hal Brognola soit instantanément sur ses gardes.

Une minute plus tard, on frappait discrètement à la porte du char de guerre. Ayant suivi la progression de son ami sur écran vidéo, Bolan ouvrit aussitôt. Sourire aux lèvres, il grogna :

— Je savais pas les flics si fantaisistes. À force de déconner...

— Déconner, renvoya le fédéral en refermant derrière lui, ça permet de supporter la merde dans laquelle on vit.

Puis, voyant la mine parfaitement sereine de son ami, il soupira en achevant :

— Bon. Y a des types sur qui rien ne prend.

Il sourit, ajouta :

— Ça va comme tu veux, toi ?

— Idéal, laissa tomber Bolan, sinistre. Tu t'amuses à quoi, exactement ?

— Test, fit évasivement Brognola.

— En clair ? insista Bolan.

Avant de répondre, le fédéral se laissa tomber sur le siège de la console technique. Il alluma une cigarette et enchaîna :

— Bon. J'ai voulu vérifier.

— T'as une bonne raison de faire ça ?

— La meilleure, renvoya Brognola. Ta sécurité.

— Mais encore ?

Le fédéral réfléchit un instant. Puis, une expression soucieuse sur le visage, il déclara :

— J'ai une sale impression, vieux.

Le ton grave éveilla l'attention de l'Exécuteur. Il demanda :

— Explique.

Silence de Brognola qui finit par dire :

— Rien de précis encore. Mais Phil te fait dire de faire gaffe. Il y aurait comme un mauvais climat. Je veux dire, autour de toi.

— Je vois. Merci. Mais si tu m'expliquais cette histoire des prénoms et du nom ?

— Simple. Une femme et une gamine. Le mari est mort dans des circonstances douteuses. Un accident pas très bien expliqué. Mais il se trouve que ce mec était le boss d'un studio d'Hollywood, spécialisé dans le traitement de la pellicule impressionnée et de la copie.

— Nom de la société ?

— MCR. Movies Recording Consortium.

Bolan hocha la tête.

— Importante, cette société ?

— La troisième dans sa spécialité. Il y a quelques mois, le mari s'est fait écraser par une voiture. Depuis, la femme est seule pour gérer la boutique.

— OK. Toujours la même question. Où est le problème ?

— Le problème serait simple si Sheila et Michaël avaient figuré seuls sur les tablettes de la *Commissione*. Or, le prénom de leur fille Eve y est également consigné, si tu vois ce que je veux dire. Sans parler de cette Lynn Fraser.

— Quel âge, l'Eve en question ?

— Sept ans.

Bolan pinça les lèvres.

— Effectivement, dit-il. Le problème est moins simple. Chantage, hein ?

Moue de Brognola.

— Ça y ressemble.

— Bon. Quel lien avec toute notre affaire ?

Le fédéral marqua un temps, puis, sur le ton de la conversation, révéla :

— Moi, je sais pas. Mais, selon Necker, ces noms-là figureraient tous trois dans la classification « Stups ». Je ne vois pas très bien ce que tout ça veut dire, mais, comme Phil, je sens qu'il y a quelque chose à fouiller de ce côté-là.

Bolan gonfla les joues.

— Des noms, des codes, les dossiers de la *Commissione* doivent en être pleins, non ?

— Exact. Mais, dans la rubrique « sensitive », il n'y a que ça en ce moment. Ou presque.

L'Exécuteur fronça le sourcils.

— Presque ?

Brognola hésita, se leva pour faire quelques pas dans l'habitacle réduit, finit par se rasseoir pour avouer :

— OK, vieux. Cette rubrique comporte une sous-rubrique. Composée de trois noms.

— Intéressants, ces noms ?

— Un peu ! Arness Morgan, et Henry Korth, si tu vois de qui je parle.

— Je vois. Mais tu as parlé de trois noms.

— Exact. Tu devines pas un peu ?

Une étincelle brilla fugacement dans les prunelles sauvages de l'Exécuteur.

— Si. Mais j'aimerais te l'entendre dire.

Brognola soupira et lâcha :

— OK. Le troisième nom, c'est Mack Bolan.

L'Exécuteur parut encore plus intéressé. Dans son esprit, ces trois noms réunis avaient quelque chose de savoureux.

— Ça veut dire quoi, d'après toi ? questionna-t-il.

— D'après moi, fais gaffe. D'après Necker, ça veut dire, fais gaffe aussi.

Bolan lui jeta un regard en biais. Il avait déjà compris, fait tous les rapprochements. Sur le deuxième nom, il aurait misé n'importe quoi. Pour le premier, la surprise était totale. Il connaissait le chef de la police municipale de nom. Et de réputation. Pas un pourri, Morgan. Un gars qui en avait et qui avait déjà fait un sacré bon boulot à L.A. Il tiqua :

— Morgan ?

Signe affirmatif de Brognola, qui ajouta :

— Je suis aussi surpris que toi. Pourtant, de deux choses l'une : ou bien Morgan est dans ton cas, c'est-à-dire, « cible », ou bien, il est l'inverse.

— C'est-à-dire avec eux.

— Exact. Mais aucun moyen de le savoir.

— Pas plus qu'on ne peut en savoir à propos de Korth.

Petit sourire désabusé de Brognola.

— Pour Korth, dit-il, c'est plus facile. On le suit de très près.

ON, c'était le FBI. Bolan insista :

— Si vous le « criblez », vous devez savoir.

Sourire las de Brognola.

— Sa maîtresse, lâcha-t-il. Diane Bonder. Une sacrée nana. Genre prix de beauté et double page dans Penthouse, si tu vois.

— Je vois. Qu'est-ce qu'elle a fait, cette Diane ?

— Rien. Elle est simplement très dépensière... et elle figure également à la rubrique « stups » des listings de la *Commissione*.

— Ce n'est rien, ça.

Sourire entendu de Brognola.

— Je voulais dire, rien d'officiel chez nous. En tous cas, tout semble étrangement lié. Y compris en ce qui te concerne. On dirait ces énigmes, genre Agatha Christie. Avec des tas de personnages sans lien apparent entre eux, mais qui, finalement, se retrouvent tous à la fin de l'histoire. Une véritable énigme, quoi.

Bolan réfléchit un instant, avant de déclarer :

— Et si on mettait tous ces gens sous surveillance ?

Hal secoua la tête.

— Morgan et Korth éventeraient immédiatement le truc. Mais...

— Mais ?

— Du côté Dobson, c'est déjà fait.

Bolan sourit. Le contraire l'aurait beaucoup étonné. Il joua un instant avec les curseurs de la console technique et, n'y tenant plus, questionna :

— Et alors ?

Brognola prit l'air soucieux.

— On s'en doutait un peu, mais ce genre de truc, c'est toujours désagréable.

— Quel genre de truc ?

— Devine.

— Chantage, hein ?

Sans répondre, le fédéral hocha la tête.

— La gosse ? proposa l'Exécuteur.

Brognola leva le pouce.

— Bingo ! laissa-t-il tomber, maussade. T'as gagné.

Mack Bolan avait vraiment... mais vraiment horreur de ça. Il questionna :

— Comment tu peux être sûr de ça ?

— La môme est constamment sous surveillance, avoua-t-il sombrement. Sur le chemin de l'école, devant leur maison, enfin, partout. Que la mère soit avec elle ou non. Et on s'est renseigné, ajouta le fédéral, encore plus sinistre. C'est pas des privés, les mecs. Rien que des mauvais.

— Quel clan ?

Le regard de l'Exécuteur s'était minéralisé. Brognola connaissait bien son vieil ami. Il aurait suffi qu'il le lâche dans un coin désert avec les gars en question... mais on n'en était pas encore là. Il renseigna néanmoins :

— Famille Samos Barra. Mais sans ramification officielle, se hâta-t-il d'ajouter.

Ce qui signifiait qu'on ne pouvait rien faire... officiellement. Graduellement, le regard d'acier de Bolan devenait encore plus pâle. Sur sa face granitique, quelque chose s'était figé un peu plus. Comme si, brusquement, sa peau s'était solidifiée. Lèvres pincées, il murmura de sa voix d'outre-tombe :

— Elles ont bien une adresse, la mère et la fille Dobson.

Sans commentaire, Brognola posa un papier plié en quatre sur la console technique du module opérationnel :

— Tout est là, dit-il.

Puis, consultant sa montre, il se leva.

— Je vais filer, dit-il. Tiens-moi au courant. Mais, quelque chose m'intrigue, dans tout ça.

— Je sais, fit sombrement l'Exécuteur. Moi aussi. Et c'est la même chose. Le cinéma.

Brognola parti, l'Exécuteur avait encore la même idée en tête. Le cinéma. Le jeune Nick, le loubard de la bande à Charlie, avait parlé de cinéma. La jeune Shere Dunn aussi, lui avait parlé de cinéma, et des difficultés que cela engendrait avec sa famille. Et voilà que Brognola lui apportait toute une famille cinéma. Avec des studios de copie en prime. Et la mort du mari de la famille cinéma, avec, en plus, quelque chose qui ressemblait à un chantage, avec menace sur la petite personne d'une gamine de sept ans.

Le cinéma.

Il sentait que la clé de l'histoire était là. Mais où ?

Il fallait qu'il sache. Et il allait savoir. Pour lui, les mômes c'était sacré. Il allait donc s'occuper en priorité du cas de la petite Eve Dobson. Le plus vite possible. Mais en surveillant soigneusement ses arrières. Car, après le compte rendu de Brognola, il était maintenant au moins certain d'une chose : les *amici* de L.A. étaient en train de lui tendre un beau... un très beau piège.

Cette fois, il le sentait, c'était du très sérieux. Une seule faute de sa part et ce serait la mort.

Une mort qui pouvait surgir à chaque instant. Y compris maintenant.

CHAPITRE DOUZE

Cette saleté de gosse et sa mère le faisaient exprès. Des heures qu'elles écumaient toutes les boutiques de Santa Monica. Pour les suivre, c'était l'enfer. D'autant que la mère avait sûrement une idée en tête. Il manquerait plus qu'elle ait décidé de faire disparaître la môme. Ils auraient eu l'air fin. Tout tueurs qu'ils étaient tous deux, Samos Barra se serait personnellement occupé de leurs matricules. Les anciens porte-flingues de la famille prétendaient que le big-boss aimait faire le boulot lui-même. Bien sûr, ce n'était pas Barra qui creusait le trou dans le désert, mais c'était lui qui le rebouchait. Ne laissant que la tête du condamné dépasser à la surface. Ensuite, bien à l'ombre de sa limousine Lincoln Town Car carrossée spéciale et climatisée, il restait là des heures, assistant avec délectation à l'agonie, tout en dégustant son Moët et Chandon frappé à souhait.

Car Don Samos Barra ne buvait que Moët et Chandon et Dom Perignon. Dès le matin, jusqu'à ce qu'il se couche. En général très tard. Car, outre les supplices et le fric, Don Samos Barra adorait la télé. Au point que, parfois, ses porte-flingues se demandaient s'il ne prenait pas ses idées de tortures dans les feuilletons.

Mais en attendant, idée télé ou non, Gene et Tito Cori connaissaient le prix de l'erreur. Si la gamine disparaissait, ils étaient bons pour le trou. La gueule bouffée par les fourmis.

— Elle se fout de notre gueule, la salope!

C'était Gene. Le plus jeune des deux frères. Le plus impressionnable aussi. Depuis le début de cette affaire, il transpirait de trouille à l'idée de perdre la môme. Si au moins on leur avait demandé un bon vieil enlèvement ou de violer la mère, ou encore de faire un carton sur la fillette, aucun problème. Mais là, simplement la surveiller!

— Je te dis qu'elle se fout de notre gueule.

Gene parlait de Sheila Dobson. La jeune mère. Ils n'avaient jamais cherché à être discrets. Au contraire, le fait de se montrer faisait partie des instructions reçues. Pour l'intimidation. Logiquement, Sheila Dobson aurait dû crever de trouille. Pourtant, elle n'en avait pas l'air. Sa gosse à la main, elle courait les boutiques, cette salope. En ondulant de la croupe pour bien les emmerder.

— Je crois qu'elle va nous baiser, Tito.

— Ta gueule!

La voix tranquille de l'aîné avait résonné sourdement dans l'habitacle de la Chevrolet Celebrity. Toujours calme, Tito. Jamais de problème. Pourtant, avec cette nana qui se foutait d'eux et cette putain de climat' qui était encore en panne, il y avait de quoi s'arracher les cheveux et la peau du crâne avec. Fou de rage, Gene assassinait le bubble à la fraise qui lui collait aux dents. Des tics nerveux fripaient sa face chevaline et, derrière les Ray-Ban fumées, ses gros yeux d'abruti roulaient de terreur.

— Je te dis qu'elle va nous baiser, grinça-t-il encore. Regarde, elle est entrée dans ce drugstore de merde. Il y a au moins trois sorties, dans ce bordel.

— La ferme, tu fais le tour et tu surveilles.

Fébrile, le cadet avait déjà la main sur la poignée de la portière, quand son frère l'arrêta :

— Et n'oublie pas, hein.

Il montrait ostensiblement la crosse du gros .45 de l'arme qu'il portait en holster de poitrine. Gene ricana :

— Je sais. A la moindre entourloupe, je flingue une guibole de la môme. Si possible dans le genou.

Ce qu'il était tout à fait capable de réaliser. Sa spécialité était précisément le tire à l'arme de poing. A cent mètres, Gene était capable de culbuter un lapin en pleine course. Une seule balle, en pleine tête. Et pour lui, une gamine de sept ans n'avait pas plus d'importance qu'un rabbit. Même moins. Les mômes, ça ne se bouffait pas.

Sur un signe de son frère, Gene quitta le véhicule et traversa California Avenue. Dans sa poche de veste, comme dans celle de Tito, il y avait un minuscule talkie-walkie. Précisément prévu pour les surveillances dédoublées comme celle-ci. Tito vit Gene disparaître à l'angle de Lincoln Park et il alluma un petit cigarillo mexicain absolument infect qui, dès la première bouffée, emplit la Chevrolet d'une innommable puanteur. A son retour, Gene qui ne fumait pas allait encore hurler. Mais Tito s'en foutait. C'était lui l'aîné. Il faisait ce qu'il voulait et emmerdait ce petit con.

Un petit con qui mesurait près de deux mètres et pesait dans les cent dix kilos, alors que Tito n'avait jamais pu dépasser le mètre soixante-dix. A se demander s'ils étaient bien issus du même géniteur.

Maintenant, il ne voyait même plus la mère et la fille. Disparues dans le magasin. Si ce con de Gene les laissait foutre le camp, il le tuerait de ses propres mains. Ça lui éviterait au moins le supplice du désert. Et peut-être qu'à Tito aussi. Ça calmerait Barra.

Dans sa poche, un petit grésillement s'éleva, suivi d'une voix nasillarde :

— *Falcon one à Falcon two... Falcon one à Falcon two...*

Tito Cori réprima une grimace irritée. Cette andouille s'y croyait vraiment. Il porta néanmoins l'appareil devant sa bouche et grogna :

— Ouais !

— *Tito ?*

Pour la discrétion, bonsoir ! L'aîné des Cori soupira :

— Qui ça pourrait être, abruti !

— *Ben...*

— T'es en planque ?

— *Ouais. Exactement à l'endroit...*

— Ta gueule. Restes-y jusqu'à mon appel. A moins qu'elles sortent de ton côté.

— *Et alors ?*

— Et alors, c'est toi qui m'appelles, andouille ! L'ennui, avec Gene, c'est qu'il avait sans doute laissé les trois quarts de sa cervelle dans le ventre maternel. A moins que le père n'ait été dérangé dans la phase terminale du coït concepteur. Il fallait vraiment tout lui dire. Sans Tito, il aurait tout juste été bon à porter des caisses sur les quais. Et encore.

— *Bon,* crachouilla encore la voix de Gene. *Alors, j'attends.*

— C'est ça.

Tito se remit à tirer sur son cigarillo. Au bout d'un petit moment, la voiture fut pleine de fumée et il se mit à tousser. Une vraie quinte. Douloureuse, lui brûlant la gorge et les bronches. A ce train-là, il serait mort dans six mois.

— *Don't move, man.*

La voix était grave. Comme venue du fond de la terre. Glacée aussi. Encore plus que cette chose qui meurtrissait la nuque de Tito.

— Pas bouger, répéta la voix, tandis qu'une main experte venait le délester du .45.

Tétanisé, Tito voyait la face granitique dans le rétro. Il voyait aussi le regard implacable qui semblait déjà le tuer. Dans sa gorge, la quinte de toux s'était bloquée, et il n'arrivait même plus à respirer. Délicatement, tandis que la pression dans sa nuque se faisait encore plus dure, les doigts de l'inconnu saisirent le cigarillo et le balancèrent par la vitre, avant de refermer celle-ci.

— Tu les trouves dans les égoûts, tes havanes ?

— Qu... qui tu es, toi ?

Ça y était. Tito pouvait de nouveau parler ! Pas très fort. A cause de cette irritation de la gorge. Mais il parlait. Dans le rétro, les terribles yeux eurent une brève expression amusée, tandis que la chose dure quittait enfin sa nuque. Enhardi, il voulut tourner la tête.

— Tss, tss ! Pas bouger. Le flingue, tu l'as dans les reins. Et tu peux dire à ton copain de rappliquer.

Tito monta à nouveau l'appareil à sa bouche.

— Non, l'arrêta l'inconnu. Tu dis mon texte. Rien que mon texte. Je suis un peu cabot.

— Et, c'est quoi, ton...

— Tu dis seulement, « c'est bon, amène-toi en vitesse à l'angle de Lincoln Park ». Après, tu vas le prendre où j'ai indiqué et tu lui cries de monter. Vu ?

L'autre hésita une seconde de trop. La chose dure revint se coller à sa nuque. Alors, il enfonça la touche d'appel de l'engin et débita son texte à la virgule près.

— Démarre, ordonna ensuite la voix dans son dos.

De mauvaise grâce, le flingueur décolla le véhicule du trottoir et commença à rouler en douceur. L'angle de Lincoln Park n'était plus qu'à vingt mètres.

— Plus vite, pressa la voix d'outre-tombe. Fonce!

Pas question de laisser le colosse respirer. Une arrivée en trombe lui ferait croire à un pépin et il ne réfléchirait pas.

— Maintenant, ordonna la voix.

La Chevrolet tournait à l'angle, au moment exact où l'immense Gene y arrivait également. Docile, Tito se pencha pour crier par la glace baissée:

— Grimpe!

Il n'avait pas besoin de se forcer pour paraître dans ses petits souliers. L'autre n'hésita pas. Il plongea, reclaqua la portière. L'instant d'après, le gros .45 militaire qui avait appartenu à Tito vrillait sa nuque épaisse.

— Eh! Qu'est-ce que...

— Ta gueule. Fais ce qu'on te dit.

C'était Tito. Il avait peur des réactions primaires de son frère.

— Ton pétard, enjoignit la voix. Vite. Et par le canon.

Complètement dépassé, le géant voulut tourner les yeux vers Tito qui répéta:

— Ta gueule. Fais ce qu'il te dit, cet empaffé.

Gene finit par obéir. Puis, toujours aussi stupide, il questionna:

— Qui c'est, ce gus? Un flic?

— Bolan, renseigna la voix d'outre-tombe. Mack Bolan le Fumier. Remonte ta vitre.

Devant, ce fut nettement la consternation. D'évidence, les frères Cori auraient nettement préféré le flic. Mais, comme il fallait faire avec, Gene obéit en bredouillant :

— Shit ! Qu'est-ce que tu veux, Bolan ?

— Ta gueule, envoya encore Tito. C'est ta peau, qu'il veut, cet enfoiré. Et la mienne aussi.

— Shit ! répéta Gene.

A présent, il transpirait à grosses gouttes. Derrière, Bolan ordonna au chauffeur :

— Roule vers le nord. On va à Brentwood Park. A la moindre connerie de ta part, j'éclate ta tête.

Il ignorait avoir affaire à deux frères, mais, même entre simples confrères, on pouvait se rendre ce genre de menu service.

— Et... et après ? questionna le colosse.

— Après, répliqua son frère. Ce salaud nous fait une interview. Pour qui on bosse, qu'est-ce qu'on sait de l'affaire qu'on traite, etc. Et encore après, reprit-il, grinçant, il fait de la purée avec ma cervelle. Mais n'aie pas peur pour la tienne, il visera jamais assez bien pour en dégommer une aussi microscopique.

Bolan faillit sourire. Il n'en revenait pas qu'un tueur puisse avoir autant d'humour. Surtout en de telles circonstances.

— Garde ta salive, conseilla l'Exécuteur. D'ailleurs, tu t'es trompé. L'interview, c'est pour maintenant. Ton boss, c'est qui ?

Il le savait déjà. Ce n'était qu'une mise en route.

— Qu'est-ce qu'on gagne, si je réponds ?

Décidément, malgré sa peur évidente, l'aîné des Cori conservait son sang-froid. Bolan le renseigna :

— Le droit de vivre jusqu'à la question suivante.

— Va te faire foutre.

Teigneux, Tito. Avec lui, il fallait jouer serré. D'un geste vif, Bolan déplaça le canon à réducteur de son du sinistre Beretta et appuya sur la détente. Cela fit un « flop » discret. En revanche, si les glaces avaient encore été baissées, on aurait entendu le barrissement de Gene jusqu'au Grand Canyon. Puis, d'un coup, son hurlement cessa pour s'achever en un halètement de forge. Stupide, le colosse considérait le bout de sa chaussure désintégrée, sans comprendre. Un jet de sang fusait du gros orteil arraché, inondant la moquette de la chevrolet.

— Vite, cingla l'Exécuteur, à l'adresse de Tito. Accouche.

Livide, le chauffeur sentait la nausée monter en lui. Il fit une affreuse grimace, vomit droit devant lui, souillant à la fois le tableau de bord et son pantalon. La voiture fit une embardée vivement sanctionnée par un concert d'avertisseurs et Bolan dut la remettre lui-même dans le droit chemin.

— Vite!

Tito eut un dernier hoquet, lâcha d'une voix blanche:

— Samos Barra. Et il va te crever, ordure.

— Erreur, renvoya Bolan. Je l'aurai tué avant. Qu'est-ce qu'il veut, Barra, à la veuve Dobson?

— Je sais pas.

— Comme tu veux.

Disant cela, l'Exécuteur avait de nouveau détourné le canon du Beretta en direction de Gene. Paniqué, celui-ci tentait vainement de juguler l'hémorragie en serrant son pied à deux mains. Il se rencogna dans son siège, en crachant :

— Dis-le, enculé !

Il allait bientôt y avoir un contentieux dans la famille Cori. Tito reprit son contrôle et céda :

— La mère Dobson, il lui veut rien. Ce qu'il veut, c'est les studios. Enfin, les labos.

— Pour quoi faire ?

— Je sais pas, moi ! protesta Tito. Merde ! Y me dit pas tout, le boss.

— C'est parce que Michaël Dobson avait refusé ce service à la mafia qu'il a été descendu ?

— Ouais ! Ce con !

— Pourquoi étiez-vous collés aux basques de la gamine ?

— Pour empêcher sa mère de la mettre au vert. Moyen de pression.

L'Exécuteur hocha la tête. Procédé classique. Il insista :

— Et si la mère et la fille avaient tenté de faire la belle ?

Tito hésita. Mais, toujours aussi stupide, son frère cracha de nouveau :

— Je lui aurais collé un pruneau dans un genou, à la pisseuse.

Bolan savait qu'il l'aurait fait. Ces ordures étaient capables de n'importe quoi. Des bêtes enragées qui aimaient le mal pour le mal. De nouveau, il hocha la tête.

— Bon, dit-il. Vous voyez que ce n'était pas bien terrible.

Tito ralentit. La Chevrolet arrivait en vue des grilles du Country Club de Brentwood. Ils avaient quitté Santa Monica et ses avenues au cordeau pour les voies tortueuses et bordées de pelouses de Brentwood Park.

— C'est tout ?

Tito avait lancé un bref regard de côté. On le sentait aux aguets. Soudain, alors que la Chevrolet attaquait la côte de Burlingame Avenue, il donna un violent coup de volant à droite. La voiture piqua vers le trottoir, tressauta en grimpant dessus. Au même moment, plongeant sous le tableau de bord, l'immense Gene tenta sa chance.

Il avait déjà la crosse du .357 Magnum fixé sous le siège en main, quand la 9mm de l'Exécuteur lui fit sauter tout l'arrière du crâne. Il émit un grognement, acheva son mouvement vers l'avant, répandant une cervelle beaucoup plus conséquente que l'avait prétendu son frère. Dans le même temps, Tito avait plongé à son tour. Mais lui, pour tenter une sortie.

Il n'eut même pas le temps d'ouvrir complètement la portière. A plus de 340 mètres/seconde de vitesse initiale, les 7,5 grammes de la deuxième ogive brûlante lui perforèrent la tempe. Il émit un « couac » grinçant, donna l'impression de vouloir se redresser, puis, subitement, il réintégra la voiture, littéralement happé par le coup de volant de l'Exécuteur.

De l'arrière, celui-ci avait remis le véhicule sur

sa route. D'un mouvement acrobatique, il passa par-dessus le dossier, repoussa le cadavre de Tito contre celui de son frère et, ayant réussi l'exploit de n'avoir intrigué aucun automobiliste des environs, il alla garer la Chevrolet à l'angle de Marlboro Street. Là, il coupa le contact, empocha les armes et, parfaitement calme, mit pied à terre en claquant la portière dans son dos.

L'air tiède était léger et, ce jour-là comme les autres, il faisait bon vivre à Brentwood Park.

Dix secondes plus tard, un bruit de moteur familier s'élevait derrière lui. Il tourna la tête et le char de guerre stoppa à sa hauteur. La porte latérale s'ouvrit, il grimpa à bord. Dans la cabine de pilotage, Hal Brognola était en bras de chemise. Il le salua d'un sourire complice, passa dans le module opérationnel, puis dans l'étroite coursive, avant d'ouvrir la porte de la cabine de repos.

— Bonjour, dit-il. Tout va bien.

La mère et la fille étaient assises sur la couchette. Sheila Dobson était un peu crispée. Ce fut Eve qui réagit la première. Un délicieux sourire lui creusait d'adorables fossettes de chaque côté de la bouche.

— Il est super, votre van, lança-t-elle, admirative. Vraiment génial !

CHAPITRE TREIZE

— Où m'emmenez-vous ?

Le van roulait à présent sur l'interstate 405, en direction de Santa Monica Mountains. Du côté de Stone Canyon, le FBI, comme en bien d'autres endroits du pays, possédait un safe home très discret. Un chalet perdu dans la montagne, qui constituait une planque idéale. Mais, bien sûr, en embarquant Sheila Dobson et sa fille, Hal Brognola ne s'était pas éternisé dans la documentation et la jeune femme semblait inquiète. Un peu nerveuse aussi. On pouvait la comprendre.

L'Exécuteur la renseigna en précisant :

— Rassurez-vous, madame Dobson. Cette retraite forcée ne sera pas longue. Seulement quelques jours. Quand tout sera fini, on vous ramènera chez vous.

Sheila Dobson avait écouté Bolan avec attention. Avec ses lourdes boucles brunes et ses yeux mauves, elle avait des faux airs de Liz Taylor, au temps de sa splendeur. Mais la beauté du visage était altérée par deux plis de lassitude entourant sa bouche. Elle secoua nerveusement la tête en se tordant les mains.

— Non, dit-elle. Je veux retourner chez moi. Puisque le FBI me prend sous sa protection. Il suffit d'un ou deux policiers devant ma porte pour...

— Madame Dobson, coupa l'Exécuteur. Au cours de l'entretien que vous avez eu avec mon ami, vous avez dû comprendre que son intervention est loin d'être officielle.

— Il n'y a qu'à la rendre officielle, se buta Sheila Dobson. Ainsi, ces gens de la mafia iront en prison et tout rentrera dans l'ordre.

Elle était en train de décrire un monde idyllique, la belle Sheila. Si elle avait pu voir le carnage dans la Chevrolet, beaucoup de ses illusions à propos de la netteté des choses se seraient subitement envolées. Bolan avait envoyé la jeune Eve se distraire devant l'écran de télé du module. Il n'y avait donc plus de sensibilité particulière à protéger. Agacé, il décida d'en dire un peu plus.

— Madame Dobson, votre mari a très certainement été écrasé sur l'ordre d'un certain Samos Barra. C'est lui qui tire les ficelles de ce qui se passe en ce moment autour de vous. C'est lui aussi qui avait envoyé les deux tueurs que je viens... d'intercepter. En cas de tentative de fuite de votre part et en compagnie de votre fille, ils étaient chargés de tirer dans les genoux de la petite.

— Non!

Sheila Dobson avait affreusement pâli. Une

main devant la bouche, elle ouvrait de grands yeux horrifiés. Bolan insista :

— De toute façon, ils vous auraient tuées toutes deux, dès que vous auriez cessé d'être utile.

— Vous êtes...

Elle n'acheva pas. Décomposée, elle respirait un peu trop fort et sa superbe poitrine tendait son chemisier en soie par à-coups.

— Non, madame Dobson. Je ne crois pas être fou. Et vous le savez bien. Au fond, vous avez toujours su que votre époux avait été assassiné.

Il marqua un temps, mais Sheila Dobson ne protestait plus.

— Si vous me disiez exactement le pourquoi de cet assassinat, reprit-il, les choses s'arrangeraient beaucoup plus vite. Pour vous, et pour tous ceux que la mafia de cette ville a pris dans sa toile.

Sheila Dobson garda encore le silence durant un instant, puis, comme si brusquement un ressort se relâchait en elle, deux grosses larmes jaillirent de ses magnifiques yeux mauves. Elle se cacha le visage dans les mains et Bolan la laissa pleurer un moment, avant de lui prendre les mains et de les garder dans les siennes. Puis, plongeant son regard dans les yeux noyés, il encouragea doucement :

— Il faut tout me dire, Sheila. Absolument tout. Pour Eve.

Elle finit par hocher la tête, s'empara de son sac, y prit un mouchoir. Un instant plus tard, enfin ressaisie, elle commença :

— Tout a débuté il y a maintenant un peu plus

d'un an. Un soir, quelqu'un a appelé Michaël à la maison. Un homme. J'ignore ce qu'ils se sont dit exactement, mais, à partir de ce soir-là, mon mari n'a plus jamais été le même. Plus tard, j'ai compris qu'il avait été le jouet d'un chantage.

Bolan fronça les sourcils.

— Chantage ? Basé sur quoi ?

Elle secoua de nouveau la tête.

— Rien de répréhensible en regard de la loi. Ceci ne regarde que nous.

Bolan n'insista pas. Sans doute une histoire d'adultère ou de mœurs.

— D'accord, dit-il. Qu'a-t-on imposé à votre mari ?

— On l'a forcé à engager une équipe technique dans nos laboratoires. Des gens qui s'occupaient à la fois du développement, du son et du montage des films qui passaient par chez nous.

— Ça a duré longtemps ?

— Trois ou quatre mois. Je ne sais plus exactement. Puis l'équipe a disparu et j'ai cru tout cela terminé. Mais, un mois plus tard, mon mari a reçu un second coup de téléphone à la maison. Cela se passait dans le living et j'ai donc pu assister à la scène. Michaël est devenu tout pâle, puis il s'est mis à crier. Il a dit qu'il ne voulait plus « entendre parler de ça ». Puis il a violemment raccroché, avant de s'enfermer dans son bureau toute la nuit.

La voix de Sheila Dobson se brisa soudain.

— Le surlendemain, reprit-elle avec effort, Michaël s'est fait écraser par une camionnette que l'on n'a jamais retrouvée.

Un silence douloureux s'établit quelques instants, avant que l'Exécuteur ne déclare :

— Pardon d'insister, Sheila. Mais je dois également savoir ce qui s'est passé ensuite.

Elle fit « oui » de la tête, se moucha et reprit :

— La suite est simple. A peine huit jours après les obsèques de Michaël, un homme m'a téléphoné. C'était un soir, vers minuit.

— Qu'a-t-il dit ?

— Que... qu'il y avait décidément trop de chauffards en liberté, que parfois, des adultes en étaient victimes, mais que, le plus souvent, c'étaient les enfants. Il... il m'a dit aussi que... qu'afin d'éviter tout accident, ON surveillait désormais Eve.

Sheila Dobson frémit, croisa les bras sur sa poitrine et acheva d'une voix terne :

— L'homme a ajouté que la « protection » d'Eve durerait tant que je serais compréhensive. Sinon...

La jeune femme marqua un autre temps d'arrêt, avant de compléter son récit :

— Puis l'homme a raccroché, et il nous a laissées tranquilles quarante-huit heures. J'étais au bureau quand, un matin, ma secrétaire m'a annoncé un homme qui n'avait pas rendez-vous. Ma secrétaire me tendit une carte de visite au nom de Paul Chauffard.

— Chauffard ?

Hochement de tête de Sheila Dobson.

— Chauffard, en français. Ils savaient que Michaël et moi parlions bien cette langue.

— Je vois. Et vous l'avez reçu, ce Paul Chauffard ?

Geste découragé de Sheila.

— Evidemment, souffla-t-elle. Comment faire autrement ? Prévenir la police équivalait à condamner Eve.

— Bien sûr. Continuez.

— Ce... Chauffard avait l'air d'un cadre supérieur. Souriant, aimable et poli. Il m'a dit que sa « société » avait besoin de mes studios pour y accomplir un travail bien précis et que je devais poursuivre « l'œuvre de mon mari ». A savoir, permettre à leur équipe de revenir travailler clandestinement chez nous.

On y arrivait. L'Exécuteur se tendit en avant et interrogea :

— Et, c'était quoi, ce travail clandestin ?

Sheila Dobson hésita une seconde, lâcha d'une traite :

— Je n'en sais strictement rien.

Dépité, Bolan insista :

— Comment ça, vous n'en savez rien ? Vous ne pouviez quand même pas tout ignorer de leurs faits et gestes. A moins de ne rien connaître aux activités de labos tels que les vôtres, vous avez forcément une idée !

Elle secoua la tête.

— Désolée, murmura-t-elle. Seul, mon mari aurait pu vous le dire. Le spécialiste, c'était lui. Pour ma part, je ne fais que maintenir cette affaire à bout de bras. Heureusement, nous avons les meilleurs techniciens de Hollywood et...

— Justement, coupa Bolan. Ces techniciens, vous les avez interrogés !

Elle leva sur lui un regard limpide et triste pour déclarer :

— Non.

— Mais, pourquoi ? Ils auraient bien fini par comprendre ce que cette fameuse équipe venait faire chez vous !

— D'abord, l'équipe de ce Paul Chauffard ne venait aux studios que la nuit. Justement pour éviter des questions gênantes. Et les instructions étaient formelles. Si je parlais de cette affaire autour de moi, y compris à mon personnel, Eve serait victime d'un accident. Comme son père, acheva Sheila d'une voix brisée.

Elle se moucha à nouveau, avant de déclarer d'un ton âpre :

— Alors, j'ai fait ce que toute mère doit faire. Je n'ai rien dit à personne. D'autant que, selon ce Paul Chauffard, un de nos meilleurs techniciens faisait partie de l'Organisation. Depuis très longtemps. C'est la raison pour laquelle ils avaient jeté leur dévolu sur nos labos.

Bolan leva un sourcil.

— Il vous a donné le nom de ce technicien ?

Sheila Dobson esquissa un sourire de dérision.

— Bien sûr que non. Et autant chercher une aiguille dans une meule de foin. La MCR emploie une bonne centaine de personnes. Dont au moins soixante-dix techniciens de haut niveau.

Bolan réprima une grimace. La taupe mafieuse

serait effectivement difficile à débusquer. Il questionna néanmoins :

— Employez-vous ne serait-ce qu'une personne en qui vous ayez toute confiance et qui pourrait discrètement fouiner ?

— Oui. Lynn Fraser. Notre chef de labo-contrôle.

Lynn Fraser ! Un nom déjà entendu. Mais Bolan enchaîna :

— Labo-contrôle ?

— La phase terminale de la copie des films. Lynn est chargée de dépister les éventuels défauts de l'image et du son, avant d'envoyer la pellicule au dispatching-distributeurs.

— Combien de personnes sous sa responsabilité ?

— Vous voulez dire, au contrôle final ?

— Oui.

— Vingt-quatre.

Bolan fit la moue.

— Et vous êtes absolument sûre de cette Lynn Fraser.

Sheila Dobson redressa brusquement la tête.

— Comme de moi-même. Nous nous sommes connues à six ans, nous avons fait toute notre scolarité ensemble et nous avons traversé les mêmes difficultés. Il n'est même plus question d'amitié. Nous sommes quasiment sœurs.

Bolan réfléchit un instant, avant d'assener durement :

— Vous mentez, madame Dobson.

La jeune femme en resta bouche bée une

seconde ou deux. Puis, regard dilaté de saisissement, elle s'insurgea :

— Mais je... je vous interdis de...

— Vous mentez, répéta l'Exécuteur. A Lynn Fraser, vous avez forcément parlé de tout ça. A une presque sœur, on dit ce genre de choses. Ne serait-ce que pour ne pas tout supporter soi-même.

— Mais, Lynn n'est pas une employée ! Du moins, pas au sens où on l'entend communément.

L'Exécuteur fit signe qu'il comprenait.

— OK, acquiesça-t-il. Avez-vous parlé à Lynn Fraser de l'arrangement contracté hier entre vous et mon ami du FBI ?

Sheila sursauta.

— Vous êtes...

— Répondez !

Découragée, la jeune femme finit par reconnaître :

— J'ai essayé d'appeler Lynn hier soir. Malheureusement, elle était sortie et je n'ai eu que son répondeur.

— Quel message lui avez-vous laissé ?

— J'ai juste dit bonsoir et que je la verrai lundi aux studios.

On était samedi. Le pire était évité.

— Bien, fit Bolan. Sheila, pour votre sécurité et celle de votre fille, je vais vous demander de ne tenter de joindre personne par téléphone durant votre retraite au chalet. Je dis bien, absolument personne.

Elle lui lança un regard en biais.

— Vous ne croyez quand même pas que...

— Promettez, Sheila. Sinon je ne peux rien pour vous.

Visiblement dépassée, la jeune femme garda le silence un moment, avant d'accepter d'un mouvement de tête.

— D'accord. A personne, dit-elle.

— OK, fit Bolan en se redressant. On vous laissera donc la ligne du chalet. Mais uniquement pour appeler ce numéro, précisa-t-il en lui tendant un papier.

Un numéro absolument inconnu des télécommunications, puisqu'il s'agissait d'un relais ultra-confidentiel de satellite militaire. Un numéro piraté par Gadgets, selon des éléments du State Department fournis par Brognola.

Un des quelques numéros clandestins du char de guerre.

Sheila fit signe qu'elle avait compris et Bolan s'apprêtait à sortir, quand elle l'arrêta :

— Pour... pour Lynn... vous ne pensez quand même pas...

Elle n'acheva pas. Trop dur pour elle. Logique. Une amie d'enfance. Bolan fit la moue et avoua :

— Je ne sais pas encore, Sheila. Je ne sais vraiment pas. En tout cas, ne l'appelez pas. Ni elle, ni personne d'autre.

— *Striker?*

Métallique, la voix de Brognola avait résonné dans le petit haut-parleur du circuit intérieur. Après un sourire rassurant à Sheila Dobson, l'Exécuteur rejoignit son ami dans la cabine.

— Un problème ? demanda-t-il.

Hal pointa son pouce en direction du rétro latéral.

— Ça se pourrait, dit-il.

C'était une Lincoln Continental Givenchy noire. Assez loin derrière le char, elle avait réglé sa vitesse sur celle de ce dernier. A cause du pare-brise fumé, on ne voyait pas les occupants. D'ailleurs, dans ces montagnes, il y avait trop de virages et la voiture disparaissait de temps à autre pour réapparaître ensuite. En principte, les voitures sur les routes, c'était plutôt courant. Y compris les Lincoln Givenchy noires aux glaces fumées. Mais la situation actuelle ne souffrait aucun relâchement.

— Continue comme ça, fit Bolan en passant dans le module opérationnel.

Accrochée à son écran de télé, la jeune Eve fit à peine attention à lui. On passait un cartoon japonais. Il mit la vidéo en service, braqua la caméra arrière sur le pare-brise de la berline qui suivait toujours, opéra un zoom. Sans résultat. Ne restait plus que le numéro. Il l'enregistra, le programma sur les listings du computer de bord et, un instant plus tard, il quittait le module opérationnel, emmenant Eve rejoindra sa mère dans la cabine repos.

— Désolé, dit-il à la jeune femme. Juste un petit contretemps. Ne bougez pas d'ici.

Puis il retourna aux commandes du module opérationnel.

Un éclair sauvage s'était allumé dans son regard d'acier pur.

CHAPITRE QUATORZE

— Mets un peu la gomme, Hal.

Bouche à quelques centimètres du micro de commandes, casque d'écoute sur les oreilles, l'Exécuteur observait la Lincoln sur son écran de contrôle. Par deux fois déjà, le van l'avait distancée et elle était aussitôt revenue à la charge. Les pourris qui se trouvaient à l'intérieur n'essayaient même pas de se cacher. Ce qui signifiait que la chasse était ouverte. Ils avaient repéré le van et accroché une bagnole à ses basques. Peut-être même y avait-il eu une deuxième équipe de surveillance autour de Sheila et Eve Dobson. Dans ce cas, il était filé depuis l'interception des deux porte-flingues. Non, se dit-il. Les pourris l'auraient alors allumé immédiatement. Enfin, tout était possible.

En tout cas, la bagnole ne lâchait plus le van.

Une voiture blindée. Forcément. Et sûrement très efficacement armée. Depuis le temps qu'ils connaissaient les performances du char de guerre, ils avaient dû prendre quelques précautions.

— Comme ça, Stricker?

Bolan vérifia la vitesse sur le compteur de console technique. Un bon quarante miles de croisière.

— OK, jeta-t-il dans le micro.

Il regrettait d'avoir embarqué son ami dans cette galère. En principe, c'était le genre de truc qu'il évitait soigneusement. Sa guerre, il la faisait le plus souvent possible seul. Sauf quand l'opération requérait les services d'un hélico. Dans ce cas, Jack Grimaldi répondait toujours présent. Un as, le pilote. Ancien du Vietnam, ancien aussi de la mafia. Un repenti. Un enragé qui vouait à Bolan une admiration sans bornes. Et, bien sûr, il y avait Herman Shwarz « Gadgets », le rescapé de l'équipe de l'homme de Pierre, et Phil Necker, le remplaçant de Léo Turrin au sommet de la *Commissione*. Mais lui, c'était son boulot de flic, qu'il faisait là-haut. Un boulot de super flic, dont il mourrait sûrement un jour. Très salement. Quand les *amici* découvriraient qui il était vraiment. Mais Bolan n'osait pas y penser.

D'ailleurs, il avait autre chose à faire.

— Tourne dans la première allée que tu trouveras à droite, demanda-t-il dans le micro. Ensuite, on planque.

— Bien compris.

Toujours flegmatique, Brognola. Des nerfs d'acier et une philosophie en béton. Il en avait tant vu au cours de sa déjà longue carrière que plus rien ne pouvait le surprendre. Ni l'impressionner.

A demi mots, il avait compris le plan de l'Exécuteur et il allait l'appliquer scrupuleusement.

Ce qu'il fit exactement deux minutes plus tard.

Le van avait franchi les limites de Bel Air et attaquait les virages de Brown Canyon par Bel Air Road. Il vira brusquement dans Cuesta way, une petite voie bordée de murets et de végétation épaisse, au sein de laquelle se réfugiaient les villas des nantis. Ici, évidemment pas un piéton, mais il n'y avait même pas de voitures. Toutes dans les garages.

— Attention, lança Brognola dans la sono de bord. A toi !

Bolan était prêt. Œil vissé au viseur vidéo de la lance thermique, doigts refermés autour de la manette de visée et index de la main droite sur la touche de mise à feu, il n'attendait plus que la cible. La Lincoln tourna dans Cuesta way dix secondes plus tard. Elle sembla hésiter en voyant le van arrêté à trente mètres seulement, mais, sans doute emporté par son élan, le conducteur n'avait pas encore compris qu'il s'agissait d'une impasse. Il freina trop tard, essaya de virer sur place, mais alors que la Lincoln tanguait sur le bas-côté, il y eut un drôle de bruit au niveau de la roue avant droit.

Bolan avait enfoncé la touche et libéré le redoutable rayon thermique. Entre les 5 000 degrés de minima et les 20 000 de maxima, il avait opté pour une moyenne. Environ 12 000 degrés libérés pendant une demi-seconde. La roue sembla tousser et, d'un coup, elle se liquéfia sur place, libérant son caoutchouc fondu en une lamentable flaque noirâtre et convulsée de grosses bulles qui éclataient mollement.

— Touché, Stricker! lança Hal qui, dans la cabine, possédait un mini-écran témoin.

Bolan avait vu. Il remonta sa visée, fixant la petite croix orangée sur le pare-brise de la Lincoln qu'il pouvait atteindre de biais. Un peu comme une simple caresse, en quelque sorte. Il voulait voir les occupants de la voiture avant de déclencher les vraies hostilités. Après tout, à part la filature, les autres n'avaient encore rien tenté contre lui. Ça, plus le fait qu'il n'y ait qu'une seule voiture à ses trousses tempéraient ces certitudes.

Il enfonça le bouton.

Là-bas, la voiture noire ne broncha pas. Simplement, au bout de trois ou quatre secondes, le pare-brise sembla se gondoler, avant de crever par endroits et de se mettre à couler comme un sucre caramélisé à la chaleur. Mais à part ça, rien. Aucune réaction des occupants. Et à cause de la position des véhicules, impossible de voir à l'intérieur.

— Qu'est-ce qu'ils foutent, ces enfoirés!

Brognola. Il aurait aimé assister à un vrai blitz. Voir beaucoup de pourris se transformer en chaleur et en lumière. Au lieu de ça, toujours rien d'autre. Juste un peu de fumée noire de caoutchouc brûlé.

— Eh, Stricker!

— Je vois, fit Bolan.

Il était intrigué. Sur son listing de bord, le

numéro de la Lincoln figurait au nom de la société *Blues*. Une société qui regroupait trois bars, quelques magasins d'épicerie et un night-club : l'*Etna*. Donc, cette voiture appartenait, si l'on peut dire, à feu Pig Stacano. Et ceux qui l'occupaient faisaient également partie de la « famille ». Mais, visiblement, il ne s'agissait pas de foudres de guerre.

— Parole, y a personne, dans cette guinde, s'impatientait Brognola. Tu devrais lui envoyer...

— Attends.

Bolan venait de voir le reflet du ciel sur une vitre latérale frémir légèrement. Quelqu'un s'apprêtait à ouvrir la portière. Prêt à tout, il reporta la visée du canon thermique à cet endroit et attendit.

Pas longtemps. Dans le casque, la voix de Brognola signalait :

— Ça y est.

En effet, cette fois, la portière du côté passager s'ouvrait lentement et une main apparut, tenant un petit revolver .38 par son canon de deux pouces, qu'elle lâcha aussitôt. Preuve indéniable de bonne volonté.

— Tirez pas !

Grâce aux micros directionnels de la vidéo, la voix parvint à l'intérieur du van. Parfaitement claire. Tremblante aussi. Bolan bascula la sono sur l'extérieur et lâcha dans le micro :

— Sortez et levez les pattes.

— Ça va ! Je suis seul. Je sors.

Blême et chétif, un petit maigrelet quasi chauve apparut enfin, clignant des yeux dans la lumière, mains levées et bien ouvertes. Avec son complet gris fripé, sa chemise douteuse et ses chaussures plutôt fatiguées, il avait l'air complètement à côté de la plaque. En décalage total avec la berline presque neuve. On ne pouvait même pas le prendre pour le chauffeur. Trop mal fagoté. Bolan vérifia que l'impasse était toujours aussi déserte et rebascula le son dans le circuit intérieur.

— Hal, dit-il, tu ne bouges pas. Je vais voir.

D'une pression sur un curseur du tableau de bord, il déverrouilla la porte latérale et, Beretta à la main, sauta à terre. Debout près de la Lincoln, l'autre voulut reculer, mais fut bloqué par la portière ouverte. Toujours aussi livide, tremblant de tous ses membres, il glissa de deux pas peureux vers l'arrière. On le sentait paniqué au point de s'enfuir au moindre geste un peu brusque. Etrange. Ça ne collait pas avec l'idée qu'on peut se faire d'un *amici* filant le char de guerre de l'Exécuteur.

— Pas bouger, fit sourdement Bolan.

Tenant le petit chauve en respect, il ramassa le .38. Un petit Colt Detective Special, dont la particularité est de posséder une crosse en bois relativement volumineuse. Détail qui, là non plus, ne cadrait pas avec le personnage. Un flingueur qui avait de bien petites mains. Minuscules, même. Puisqu'elles étaient levées, Bolan les voyait parfaitement. Des mains absolues pas en rapport avec la grosseur de la crosse. Quelle que soit la stupidité de ce type, il ne pouvait se doter que d'une arme à crosse réduite. Tels le Bodygard

S&W modèle 49, ou encore le Chief Special modèle 36.

Etrange.

Et ce type crevait de trouille. En général, du moins au début des « entretiens » avec l'Exécuteur, la plupart des *amici* tentaient d'en rajouter.

— Ton nom, questionna Bolan, abrupt.

— To... Tony Valone.

Il se liquéfiait, Tony. Il se ratatinait aussi singulièrement. L'Exécuteur se demanda même s'il n'allait pas s'évanouir. Un comble ! Il fit un pas, vérifia que la voiture était bien vide et jeta :

— Tu me suivais. Pourquoi ?

— Pour... ben, c'est complètement par hasard, couina le tremblant Tony en reculant encore d'un pas.

Bolan eut un petit rire grinçant.

— Ben voyons !

— Je... je vous jure. Je suis pas dingue ! Pas envie de me faire buter, moi !

Le type devait être très bête, ou très paniqué. En reconnaissant implicitement l'Exécuteur, il venait de se trahir. Un éclair fulgura dans les prunelles de Bolan.

— Tu me connais donc ?

— Moi ? Non ! Comment je pourrais...

Tony avait compris son erreur. Il recula encore d'un pas en pleurnichant, lamentable :

— Je n'y suis pour rien, moi, dans ces salades, Bolan ! C'est les autres. Ils m'ont dit de...

Il fut interrompu par le couvercle de la malle arrière qui s'ouvrait avec violence. Tels des diables, les deux pourris en jaillirent, armes en batterie. Un PM Franchi LF 57 avec chargeur de 40 cartouches 9 mm, et un US M.3 A.1 calibre .45, avec ses trente cartouches. En un centième de seconde, l'Exécuteur eut le temps de voir les index crispés sur les détentes et de lever lui-même son arme. En fait, bien avant l'ouverture du coffre son instinct guerrier avait réalisé le danger. Trop d'invraisemblances dans ce scénario.

Le Bereta fit « flop » deux fois.

Ce fut suffisant. Les porte-flingues reçurent chacun leur dose de plomb dans la cervelle et les crânes obtus éclatèrent en différents endroits. Dans un réflexe ultime, le porteur du M.3 avait enfoncé la détente de son arme. Tandis qu'il s'affalait au fond du coffre pour y frémir des derniers spasmes, son arrosage se perdit dans la nature.

Mais toutes les balles ne s'étaient pas perdues. Le maigre Tony en avait bloqué une. En pleine poitrine. Hagard, il titubait sur place, regardant stupidement la tache de sang qui s'élargissait sur le devant de sa chemise.

— Merde ! se plaignit-il.

S'il avait pu voir le trou que le projectile lui avait fait dans le dos en ressortant, il aurait sûrement été encore moins poli. Une vraie bouillie, avec, au milieu, un morceau de côte cassée qui pointait dans les chairs. Bizarrement, un bruit de soufflet s'échappait de l'orifice béant, faisant gonfler quelques bulles de sang au passage. Sa respiration.

— Merde ! fit encore Tony.

Encore plus pâle, narines pincées, il fixait à présent Bolan d'un regard déjà terne. D'un geste sec, l'Exécuteur referma le capot sur les deux cadavres et poussa Tony dans la Lincoln.

— Je veux un hôpital ! supplia le chauve. Faut me soigner !

C'était inutile. Dans une minute au plus, il serait mort. Mais Bolan lui laissa ses illusions.

— Après, promit-il. Accouche d'abord.

— Oui, fit péniblement Tony. Quoi ?

— Comment vous m'avez repéré ?

— Par... par hasard !

— Arrête tes conneries, Tony !

— Juré, merde ! Moi... je suis que le barman de l'*Etna*. Le collègue de Donello. Les autres, dit-il en désignant du pouce l'arrière de la Lincoln, c'est des flingueurs à « Star » Fracco. Venaient... me chercher. Le boss voulait me parler. En passant devant Lincoln Park, ils ont repéré ton... van. Son signalement a été donné à toutes les putes, les dealers, les *soldati* de L.A.

Le genre de truc qui menaçait constamment Bolan. Il allait encore devoir changer le look du char de guerre. Il insista :

— Alors ?

— D'abord, on... on a cru que c'était toi, dedans. C'est seulement quand on a vu le van t'embarquer près de la Chevrolet qu'on a compris.

— Pourquoi ne pas avoir essayé de me buter à ce moment ?

— Trop... précipité. Les autres ont préféré attendre une... meilleure occase. Moi, je disais de te suivre. De prévenir les autres... mais ces deux cons te voulaient à eux. Pour se faire mousser...

Il n'en pouvait plus, Tony. Dans ses yeux ternes passaient des supplications.

— L'hôpital, Bolan. Veux... pas crever!

Il avait à peine achevé le dernier mot que ses prunelles se révulsèrent. Il émit un hoquet, vomit un peu de sang, eut une ultime crispation des deux mains et glissa lentement sur la banquette. Mort.

Bolan claqua la portière et regagna le char de guerre. Des moteurs de voitures s'annonçaient et il n'avait pas envie de se trouver nez à nez avec une voiture de patrouille. A Bel Air, comme à Beverly Hills, les flics étaient partout. Ils n'avaient pas complètement tort.

— Go! lança-t-il, dès qu'il eut réintégré le van.

Puis il retourna voir la mère et la fille. Inquiète, la première leva sur lui un regard interrogateur:

— Qu'est-ce qui s'est passé? questionna-t-elle, tendue.

Elle avait entendu les coups de feu. Bolan lui accorda un sourire lointain en répondant:

— Rien. Juste une fausse alerte.

Heureusement que la cabine ne comportait pas de vitres sur l'extérieur!

CHAPITRE QUINZE

Lynn Fraser avait passé un week-end d'enfer. Pour une flambeuse, Las Vegas était décidément l'univers de la défonce. Et flambeuse, Lynn Fraser l'était sacrément. Au point de laisser régulièrement sa paye sur ces maudits tapis de black jack. Un vrai problème. C'est d'ailleurs pour ça qu'elle avait accepté de marcher avec ce salopard d'Harry Moses. Lui, il était plein de fric. Et il avait bien payé les services qu'elle lui rendait depuis un an. Même que c'était dommage que ça s'arrête. Le boulot était fini. Un travail de longue haleine, qui avait d'abord consisté à mettre Michaël Dobson dans son lit. Pas désagréable, d'ailleurs. Bien que Dobson n'ait jamais pu être à la hauteur d'Harry Moses sur ce plan-là. Mais, au moins, elle avait pu se venger un peu de cette salope de Sheila. Sheila la bien mariée. Sheila la riche, Sheila l'intelligente. Depuis l'école, ç'avait toujours été comme ça. Tout pour Sheila, rien pour Lynn. Alors, quand ce salopard d'Harry Moses lui avait proposé le *deal*, elle avait immédiatement accepté. Tout. Les photos compromettantes qui pouvaient détruire à jamais les espoirs politiques de Michaël, qui pouvaient aussi faire très mal à cette salope de Sheila si elle les voyait un jour, le chantage sur le même Michaël, le suivi technique de l'opération et même la menace qui pesait sur la petite Eve.

Lynn avait tout accepté. Pour se venger des injustices sociales et pour le fric. Elle ne regrettait rien. La mort de Michaël, le chagrin de la mère et de la fille, tout ça lui était indifférent. Ce qui la préoccupait, c'était la flambe.

Et ses pertes.

Ce week-end, elle avait encore perdu. Il ne lui restait même pas de quoi régler le loyer de son studio de Palms District. Un logement bien trop cher pour elle, mais ses goûts de luxe et de revanche s'accommodaient mal de la médiocrité. Sitôt arrivée, elle allait appeler ce salopard de Moses. Il lui trouverait bien une combine pour gagner de nouveau du fric.

Sur cette sage décision, elle accéléra, tourna à droite et engagea son petit coupé Merkur dans la bretelle de National pour quitter le freeway N° 10. Elle entra ensuite dans Palms District par Jasmine Avenue. Il était deux heures du matin et ses magnifiques yeux verts de rousse étaient rouges de fatigue. Et d'excitation. Elle n'avait pas sommeil. Trop énervée. Sans cesse, elle refaisait en pensée les jeux qui auraient dû la rendre millionnaire. C'était idiot. En rêve, on faisait tout selon ses désirs. Mais, sur le terrain de la vie, les choses n'allaient jamais comme on voulait. La preuve :

elle n'avait plus un seul dollar d'avance. Et cette salope de Sheila qui croulait sous le fric ! Alors que ce boulot mirifique qu'elle tenait de ce salopard de Moses s'achevait et qu'elle ne toucherait plus rien. Rien d'autre que sa paye minable. Non. Moses, elle allait le relancer. D'ailleurs, il crachera. Autrement, elle irait tout raconter aux flics.

Enfin, peut-être.

D'ailleurs, elle arrivait sur son parking et n'avait plus qu'une envie : prendre une bonne douche. Dans ce désert, il faisait vraiment une chaleur de four.

— Salut, Lynn. Ça va comme tu veux ?

Lynn sursauta. Elle avait eu peur. Vraiment peur. Sans doute à cause de la fatigue. Pourtant, il n'y avait pas de quoi. Vraiment pas.

— Oh ! Salut Harry. Tu m'as fait peur.

Harry Moses venait de s'éjecter d'une voiture. Sourire aux lèvres, aussi impeccable à deux heures du matin qu'à sept heures du soir. La gravure de mode. Le type clean jusqu'au bout des ongles. Le plus sale, en lui, c'était l'âme. Mais, pour ça, il s'arrangerait avec le Créateur, plus tard.

— C'est moi, que tu viens voir ?

Étonnée, Lynn Fraser. En dix-huit mois de liaison, il n'était jamais venu chez elle sans prévenir. Et jamais à cette heure-là. Comme s'il avait deviné ses pensées, Moses claqua sa portière en déclarant :

— Je passais dans le secteur. Tu m'offres un verre ?

Lynn eut un petit sourire canaille. En guise de verre, elle allait lui offrir bien davantage. Pour parler affaires avec un homme, il valait mieux le mettre dans son lit. D'ailleurs, il n'était pas venu que pour ça. Pour ces choses-là, les femmes n'étaient jamais dupes.

— OK, dit-elle en s'accrochant à son bras. Viens le boire, ce verre.

Du parking, ils passèrent aux ascenseurs et se firent hisser au vingt-huitième et dernier étage d'un immeuble marbre acier et plantes vertes. Complètement moquettée et éclairée de manière étudiée, la cabine insonorisée et intime à souhaits leur avait permis quelques préambules amoureux du plus heureux effet. Quand, un moment plus tard, Lynn ouvrit sa porte pour laisser entrer ce salopard d'Harry Moses, elle était quasiment euphorique. Pas de doute, Harry lui filerait du fric.

De fait, Harry Moses n'hésita pas. Sitôt entré dans le petit studio décoré d'affiches de cinéma, il ôta sa veste, bascula Lynn sur le lit et entreprit de lui faire comprendre pourquoi il l'avait attendue jusqu'à deux heures du matin. Du lit, ils passèrent sur la petite terrasse, où un matelas était disposé en permanence pour les bains de soleil. Là encore, Moses fit le nécessaire. En toute générosité.

Car Moses n'était pas vraiment un mauvais garçon.

Il se contentait de faire son boulot. Sans états d'âme. Après tout, il n'était qu'un killer. Un tueur. Un vrai grand professionnel.

Lynn ne l'avait jamais su. Jamais deviné non plus. Aussi, lorsqu'au bord du parapet, alors qu'il était encore en elle et que leurs souffles précipités se mêlaient toujours, ne comprit-elle pas très bien ce qui pouvait l'amuser à la hisser ainsi sur le petit muret de la terrasse. D'abord, elle trouva le jeu terriblement excitant et un peu inquiétant, puis, alors qu'il la penchait en arrière en lui soufflant des obscénités au creux de l'oreille, elle trouva son comportement étrange. Sous sa croupe nue, les aspérités du béton devenaient douloureuses et, sans très bien savoir pourquoi, elle se sentait bêtement attirée par les vingt-huit étages de vide qui soufflaient leur haleine froide dans son dos en sueur.

Enfin, elle eut peur.

— Eh, Harry !

Mais, tout contre elle, Harry continuait à débiter ses cochonneries. D'une voix quasi absente qu'elle ne lui avait jamais connue. Un peu comme si, brusquement, elle n'était plus pour lui qu'une étrangère.

— Harry !

A cet instant, elle parvint à reculer la tête et à voir son visage. Mais ce qu'elle capta dans les yeux d'Harry déclencha soudain en elle une terreur sans nom. Une panique bestiale qui la glaça jusqu'à la moelle des os. Harry ne la voyait plus. Son regard la traversait, terne, fixe comme celui d'un dément. Et dedans, Lynn devinait sa propre mort.

— Eh ! eut-elle encore le temps de dire.

Mais, déjà, les grandes mains de Moses s'étaient refermées autour de son cou et serraient. Juste ce qu'il fallait pour couper le souffle sans laisser de marques. Pour empêcher les cris.

Harry Moses était un grand professionnel.

Mais il n'avait pas d'yeux dans le dos. Dans sa nuque, le contact dur lui fit l'effet d'une douche glacée. Il en eut, lui aussi, la respiration coupée.

— Attention, Moses, fit une voix d'outre-tombe dans son dos. Attention à ce que tu vas faire maintenant.

D'un coup, Harry Moses redevint lucide. Tandis qu'une main experte le délestait de son automatique Colt Gold Cup National Match .45 ACP, il comprit que sa vie ne tenait qu'à un fil. Celui qui, en fait, retenait celle de Lynn. Alors, tout doucement, il recula un peu, desserra sa prise sur le cou gracile et libéra également le ventre de la jeune femme. Tétanisée, toujours assise sur le muret, cette dernière ouvrait des yeux dilatés d'horreur. Elle revenait de l'enfer et n'en avait pas encore vraiment conscience. Soudain, un voile rouge brouilla sa vue et son superbe corps nu s'amollit.

L'Exécuteur n'eut même pas à intervenir. Avant qu'elle ne bascule dans le vide, Harry Moses l'avait déjà rattrapée.

— Le matelas, fit la voix d'outre-tombe.

Moses comprit. Avec des délicatesses de nourrice, il souleva Lynn comme une plume et la déposa doucement à l'endroit indiqué. Puis, mains levées se redressant avec une lenteur calculée, il fit face à l'Exécuteur et questionna, un peu tendu :

— Je peux ?

Il désignait son pantalon ouvert et sa tenue plus qu'osée. Mais Bolan secoua la tête. Beretta muni du réducteur de son en main, il déclara :

— Pas question. Ton boss, c'est qui ?

Mutisme. Bolan esquissa un signe compréhensif.

— Je répète, Moses. Tu réponds, on continue, tu joues au héros, je te transforme en héros.

Le trou noir du réducteur de son était fixé entre ses deux yeux. Et Moses savait qui était en face de lui. Bolan. Bolan le Fumier. A cette distance... et même de plus loin, il ne le raterait pas. Alors, il tenta de négocier.

— Ecoute, Bolan. Je connais la musique. Si tu sais mon nom, tu connais aussi pour qui je bosse.

C'était vrai. En planque depuis le début de la soirée, à bord du char de guerre, l'Exécuteur avait vu arriver la Corvette de Moses. Grâce au numéro, il avait interrogé le computer de bord et obtenu tout ce qu'il cherchait. Moses était killer free-lance. Son principal employeur s'appelait Dino « Star » Fracco. Ceci, selon les sources fournies antérieurement par Phil Necker. Mais, avec un free-lance, les employeurs pouvaient changer du jour au lendemain.

— Arrête, fit Bolan. Je parle de ton employeur actuel.

— Je te l'ai dit.

— Comme tu veux, soupira l'Exécuteur. On

reviendra peut-être là-dessus. Pourquoi devais-tu la tuer, la fille ?

Moue de Moses. Avec sa gueule bronzée, ses cheveux coiffés à la diable et ses prunelles claires, il aurait pu faire du cinéma. Jouer les tueurs sans risques. Mais Bolan connaissait ce genre de type. Pourri jusqu'à l'os. Le vice et le crime dans le sang. Le genre de spécimen qui ne faisait aucun cadeau.

— Pourquoi ? répéta Bolan.

— On me l'a ordonné. Elle servait plus à rien et il fallait pas qu'elle bavarde.

— Fracco ?

Acquiescement muet du tueur. L'Exécuteur contra :

— Tu bluffes. Fracco a ses propres flingueurs.

Moses esquissa un sourire cynique.

— Avec les gueules qu'ils ont, ses flingueurs, pas de risques qu'ils se la collent au lit, la gonzesse. Or, moi, je devais d'abord me l'envoyer. Pour mieux la tenir ensuite. Ordres de Fracco.

— La tenir ? Pour quel boulot ?

Nouvelle moue du tueur.

— Ça, c'est pas mon rayon. Ses ordres, elle les recevait par téléphone. Te dire par qui, j'en sais foutrement rien. Dis, je peux vraiment pas ?

Grotesque, il devait écarter les jambes pour empêcher son pantalon de descendre. Bolan hocha la tête.

— Ça va. Remonte-moi ça.

Moses ne se le fit pas redire. D'un mouvement très naturel, et très prudent aussi, il passa les deux mains dans sa ceinture de pantalon et commença à le remonter. À cet instant, sur le matelas de soleil, Lynn Fraser émit un gémissement. Elle allait émerger. Alors, tout se passa très vite. Le mouvement latéral de Moses, l'éclair d'acier bleuté dans la nuit, le poignet de chemise immaculé qui dépassait de la veste, cible parfaitement visible dans l'ombre.

Bolan tira.

L'ogive de 9 mm Parabellum fracassa les os sous le poignet de chemise. Les veines éclatées crachèrent leurs jets de sang et Moses poussa un hurlement bref. Le petit S&W à canon de deux pouces vola dans les airs, avant d'aller atterrir dans un grand bac à fleurs où il se perdit. Masque figé, regard minéral, le guerrier solitaire n'avait pas bronché. À peine si le canon du Beretta s'était déplacé de quelques millimètres avant le tir. Face à lui, fou de douleur et de rage, Moses était plié en deux répandant son sang sur les dalles de marbre. Quand enfin il releva les yeux sur Bolan, celui-ci lui adressa ce qui semblait être un sourire de compassion.

— Dommage, dit-il de sa voix sépulcrale. Le flingue, je savais que tu l'avais. Je voulais juste te laisser une chance.

Pour le petit revolver, c'était vrai. En délestant Moses de l'automatique, il avait noté la présence du .38 Regulation. Pour ce qui était de laisser une chance au tueur, c'était totalement faux. Simplement, quand il le pouvait, le sergent Miséricorde préférait ne tuer que des adversaires armés et décidés.

— Dommage, répéta-t-il.

Il levait le canon du Beretta vers le front de Moses, quand celui-ci grogna, malade de souffrance :

— Attends, Bolan. Ma peau, je peux te l'acheter.

On en arrivait presque toujours aux marchandages. Un peu las, l'Exécuteur grinça :

— Ça m'étonnerait.

Sur le matelas, Lynn ouvrit des yeux hagards. Elle ne comprenait encore rien à la situation. Sa cervelle faisait encore la colle. Dans un instant, elle allait accaparer l'attention de Bolan et Moses ne vaudrait plus rien à ses yeux. Il dit précipitamment :

— Ecoute. Mon boss, c'est pas Fracco.

Moue de l'Exécuteur.

— Pas vraiment un scoop, Moses. Je le savais. C'est qui, ton patron ?

Haletant de douleur, le tueur tanguait sur place en se tenant le poignet blessé. Livide, il donnait l'impression d'être près de s'évanouir à son tour. Il dut le sentir, car il bredouilla très vite :

— Je... je sais pas son nom. Juré ! Mais j'ai un numéro de fil. Pour les cas d'urgence.

— Annonce.

— 672-4331, lâcha Moses.

L'Exécuteur eut un petit sourire énigmatique.

— Désolé, Harry. Ce numéro, je l'avais déjà.

C'était parfaitement vrai. Bolan n'eut donc aucun scrupule à appuyer une deuxième fois sur la détente du Beretta. Percutée de plein fouet par la balle au plus vite de sa course, la tête de Moses fut violemment rejetée en arrière, tandis que ses deux bras battaient l'air comme des hélices. Un troisième œil était apparu entre les deux autres, libérant un jet de sang épais qui macula le devant de la chemise immaculée du tueur. Il tomba à la renverse, d'un bloc, en plein sur le corps nu et toujours allongé de Lynn Fraser.

Alors seulement, elle émergea complètement et sa bouche s'ouvrit sur un hurlement. Un hurlement qui ne dépassa pas ses belles lèvres de garce. Comme par magie, le gros cylindre du réducteur de son vint creuser son nid au creux de l'abdomen nu. Juste sous le nombril.

Penché sur elle, Mack Bolan souriait presque.

Et sa voix fut très douce, quand il murmura :

— Ma petite Lynn, je n'ai jamais connu de femme plus dégueulasse que toi.

Bolan ne souriait que de la bouche. Ses yeux avaient la chaleur des glaciers. Alors, Lynn Fraser eut encore plus peur du grand démon noir que de Moses un peu plus tôt. Peut-être simplement parce qu'il ne la regardait pas comme une femme.

D'ailleurs, il ne semblait même pas la voir.

CHAPITRE SEIZE

— Couvrez-vous.

Bolan venait de jeter la veste du mort sur le corps nu de Lynn Fraser. Encore sous le choc, cette dernière ne pouvait détacher son regard de la face granitique de l'Exécuteur. Celui-ci reprit :

— Vous étiez l'amie de Sheila. Pourtant, vous n'avez pas hésité.

— Elle n'est pas mon amie. Cette salope !

Le ton haineux de Lynn surprit Bolan. Il s'étonna :

— Comment ça ?

— Une salope de riche, se buta Lynn. Toujours riche. De l'enfance à maintenant. Des parents pleins de fric. Un mari plein aux as.

— Tout ça, c'était par vengeance ?

— Oui. Et pour le fric aussi. Pour ce boulot, on m'a payée pendant plus d'un an. Comme ça, je pouvais aller à Vegas. Pour tâcher d'en gagner davantage.

Encore une qui croyait au père Noël !

— Ce job, c'était quoi ?

Lynn Fraser eut un haussement d'épaules de lassitude.

— Ma spécialité. Contrôle de la pellicule impressionnée. Je devais faire en sorte de veiller à ce qu'au montage de chaque film, aucune erreur de cadence n'ait été commise.

— Cadence ?

— La 24e image, si vous préférez. La vitesse de défilement d'un film est calculée en images/seconde. La 24e est la dernière de la seconde de projection. Moi, je devais juste veiller à ce que leur image, ce qu'on appelle l'image subliminale, figure bien à la place de la 24e.

L'image subliminale !

Bolan avait déjà entendu parler de ça. À propos notamment d'expériences faites autrefois dans le domaine de la pub. Une image sur 24. Trop brève pour que l'œil la perçoive, suffisamment explicite pour que l'inconscient du spectateur la mémorise. Un procédé qui n'avait finalement pas vu le jour. Commission de censure oblige. Maintenant, l'Exécuteur comprenait tout. La bande de loubards à Charlie et les confidences du gros Nick, recoupant plus tard celles de la jeune Shere Dunn, à propos des séances de ciné devenues pour eux quasiment obsessionnelles. Monstrueux.

L'image subliminale.

Une invention géniale qui, mal utilisée, pouvait entraîner des foules entières à des actes fous. Comme par exemple se livrer à la consommation de la drogue. L'Exécuteur insista :

— Et la commission de censure ?

— Achetée. Ils en ont un dans la manche. Un des principaux responsables. Mais on ne m'a jamais dit son nom.

Bolan lui, le connaissait, ce nom. Hal Brognola le lui avait communiqué. Teddy Oberlon. Voilà donc le rôle de ce fameux conseiller à la Commission Sénatoriale de la Censure. Cette ordure travaillait pour la mafia. Pour du fric, il envoyait délibérément des milliers de jeunes à la déchéance, voire à la mort. Ce pourri, l'Exécuteur ne le raterait pas.

— Combien avez-vous... pollué de ces films ?

Toujours aussi lugubre, la voix de Bolan avait claqué comme un coup de fouet. Choquée par ce à quoi elle venait d'assister, Lynn Fraser hésita à peine avant d'avouer :

— Environ une centaine.

Sur un an, le chiffre paraissait exagéré. Bolan s'en étonna :

— Les téléfilms aussi, compléta la jeune femme. Des tas de productions. Y compris les séries.

Bolan était horrifié. Cela représentait un public potentiel énorme. Des dizaines de millions de spectateurs. Et dans cette masse, des dizaines de milliers d'esprits faibles. Des victimes en puissance.

— Il me faut la liste complète, cingla Bolan. Très vite.

Lynn Fraser eut un rictus amer.

— Facile à établir, cette liste. Tous les films traités par MCR depuis juin de l'année dernière.

Mais, pour arrêter ça, ajouta la jeune femme avec une grimace cynique, vous devrez carrément faire sauter le pays.

Il y eut un épais silence. Seul, le léger grondement de la ville, vingt-huit étages plus bas, leur parvenait comme à travers un cocon. Bolan réfléchissait. Cette histoire complètement dingue risquait de le dépasser. Il fallait alerter Brognola. Sheila Dobson aussi. Il fallait à tout prix remonter la piste de chacun des films « traités » par la MCR depuis ce fameux mois de juin. Si toutefois c'était encore possible. Un travail de titan.

— Qu'allez-vous faire de moi ?

Rappelé à l'instant présent, l'Exécuteur plongea son regard minéral dans celui de Lynn Fraser. Une expression dégoûtée sur le visage, il laissa tomber :

— Moi, rien. Assassiner des femmes, c'est le travail de vos amis de la mafia.

Un éclair de panique fulgura dans les yeux verts de Lynn.

— Que... ça veut dire quoi, ça ?

— Ça veut dire que d'autres viendront faire le travail raté par Moses, fit Bolan, sinistre. Vous n'y échapperez pas.

— Non !

Elle l'agrippait par la manche, affolée. Il se dégagea sans douceur, traversa la terrasse en achevant :

— Et ce sera bien. Quand ils viendront, donnez-leur le bonjour de Mack Bolan. Adieu, Lynn Fraser.

Paralysée de peur, serrant frileusement les bras autour de son buste nu, Lynn Fraser conservait la bouche ouverte sur un cri impossible à sortir.

Mack Bolan !

Ce nom, elle s'en souviendrait jusqu'à sa mort.

— Amène-toi, pédé.

Dino « Star » Fracco n'arrivait décidément pas à se faire à l'idée d'une humanité hétérosexuelle. Le maigre petit mac, unique rescapé du blitz de Bolan à l'ancienne conserverie, fit deux pas dans le soleil du parc de la ville. Réveillé en sursaut à huit heures du matin par l'immense Felipe qui en avait fait sa tête de turc, il n'avait pas les yeux en face des trous. Clignant craintivement des paupières, escorté par Felipe en personne, il rejoignit le boss à sa table de breakfast, près de l'immense piscine.

— J'aime pas les feignants, pédé, l'accueillit « Star » Fracco. Dorénavant, tu seras debout à six plombes du mat'. Quand l'opération sera terminée, y aura deux solutions. Ou t'avais raison et tu prendras la place de ce pédé de Stacano, ou t'avais tort et je dirai à Felipe de faire un abat-jour avec ta peau de pédé. Un mini abat-jour, rectifia aussitôt le capo-nabot, se souvenant de la taille du mac.

Il partit d'un grand rire grinçant, imité par Felipe qui, vicieusement, décocha un coup de pied dans les tibias du rescapé. Son petit vice à lui. Il se vengeait des affronts de son boss-nabot en suppliciant un autre nabot. Logique implacable.

— Regarde ça, pédé.

« Star » Fracco venait d'ouvrir une enveloppe et d'en extraire plusieurs clichés. Des photos représentant un van décoré de couleurs vives. Le van de Bolan le Fumier. Fracco se demandait comment les hommes de Barra avaient fait pour le photographier, mais le fait était là. Restait l'identification. Le petit mac sursauta :

— Vous l'avez retrouvé ?

Le van de Bolan le Fumier ! Là, en photos et sous toutes les coutures ! Fracco esquissa un rictus. C'était bien le van du Grand fumier. La réaction du petit mac le disait clairement.

— Tu le reconnais ? questionna-t-il néanmoins. C'est bien ce van que tu as vu, l'autre jour ?

Énergique mouvement de tête.

— Sûr, boss. Pas moyen de se gourrer. Ma tête à couper.

— Sois pas impatient. Ça viendra sûrement, pédé.

On en revenait aux marques d'affection. « Star » Fracco fit signe à Felipe de ranger les photos, puis, à l'adresse du petit mac, il lança :

— Casse-toi, pédé. Quand j'aurai besoin de toi, je te sonnerai.

Les deux hommes partis, il reprit un peu de miel sur un toast et coucha dessus un œuf au plat rissolé à point. Le tout arrosé de Moët et Chandon. Puis il appela son gorille-maître d'hôtel.

— Passe le bignou, toi.

Le tueur en veste blanche lui apporta le téléphone portable et s'éloigna discrètement, tandis que Fracco composait le numéro de Don Samos

Barra, le big-parrain de Los Angeles. On répondit et Fracco se fit reconnaître. À sa façon.

— Fracco. Passe-moi le *consigliere*, pédé.

Un instant plus tard, le timbre grave et posé de Rino Grelli se fit entendre :

— Alors, Frac' ?

Le *capo* hocha la tête et déclara seulement :

— Pour le van, c'est OK.

Il fut une seconde tenté de faire allusion à l'opération commando que Bo mettait sur pied. Mais, après tout, que Barra se démerde. La vie, c'était chacun pour soi. D'ailleurs, le *consigliere* avait déjà raccroché. Sans commentaire. Celui-là, « Star » Fracco ne l'avait jamais appelé pédé.

— Voilà, tout y est.

Sheila Dobson venait de reposer le combiné. Indécise, elle regardait Bolan, attendant une réaction. Le guerrier solitaire examina la liste qu'elle venait d'obtenir par téléphone, auprès de sa secrétaire. Une liste détaillée, comportant les noms des producteurs, des sponsors et des distributeurs de chaque film concerné. Car, dans la plupart des cas, chacun possédait au moins une copie de l'œuvre achevée.

— C'est bien, fit Bolan. Merci.

Puis, levant les yeux sur Hal Brognola qui, sur sa demande, était accouru au chalet, il questionna :

— Quelles sont tes chances d'aboutir, Hal ?

Sous-entendu : que pouvait faire Brognola au niveau officiel, pour obtenir la destruction totale de toutes les copies. Soit environ cinq mille films standard en stockage ou en souffrance d'exportation, plus, approximativement soixante mille copies vidéo en anglais et presque autant en différentes langues. Car, bien que le procédé de l'image subliminale fût largement sujet à caution, quant à sa crédibilité technique, Sheila Dobson avait fait allusion à un système qui, d'après elle, aurait permis son utilisation par vidéo. Procédé indécelable, y compris à la projection au ralenti.

L'agent du State Department hocha la tête avec force.

— Du nougat, affirma-t-il. Je m'y emploie immédiatement.

Sur ces mots, il se leva, indiquant ainsi la fin de l'entretien. Bolan empocha la liste de Sheila, caressa au passage la tête blonde de la petite Eve qui regardait la télé et gagna la porte à la suite de son ami.

— Mack?

Il se retourna. Sheila l'observait d'un drôle d'air.

— Vous ne m'avez pas tout dit, Mack, reprit-elle. Vraiment pas tout.

Il leva un sourcil interrogateur.

— Comment ça?

— À propos de... de Lynn et...

Elle se tut, reportant le regard sur sa fille. Bolan comprit qu'elle faisait allusion aux rapports qui avaient existé entre son amie et son mari. Il lui sourit en haussant les épaules.

— C'est vrai, reconnut-il, parfaitement hypocrite. Toute cette histoire reposait sur un montage. Les employeurs de Lynn s'étaient arrangés pour fabriquer des photomontages compromettants. J'en ai eu confirmation. Si un jour une photo de ce genre apparaissait, n'allez pas vous imaginer je ne sais quoi. Tout ça, c'est du flan.

Elle le regarda longuement, cherchant à déceler un indice dans ses yeux. Mais elle n'y vit que de la glace et elle sourit en hochant la tête.

— OK, dit-elle.

Et Bolan rejoignit Brognola à sa voiture.

— Foutaises, grinça celui-ci, quand l'Exécuteur s'assit près de lui. On n'y arrivera jamais par la voie légale. Trop long. Fous le gros bordel, je me charge de déclencher une enquête après.

Bolan réfléchit, finit par lâcher :

— OK.

Ce qui, dans la bouche du guerrier solitaire, sous-entendait beaucoup de choses. Tous les deux le savaient. Brognola mit le contact et démarra en souplesse. Ils se turent jusqu'à la bretelle de l'interstate 405 qui, chargée comme à son habitude, distillait la circulation au compte-gouttes. Soudain, l'Exécuteur rompit le silence.

— OK. Qu'est-ce que tu peux faire pour moi ?

— Tout, répliqua Brognola, visiblement soulagé de comprendre qu'il n'aurait pas à lutter contre les moulins. Dans vingt-quatre heures, tu auras la liste intégrale des dépôts.

Ceux où étaient entreposés les films encore sur le territoire US. Bolan esquissa un sourire songeur et déclara :

— Je peux peut-être faire mieux. Mais fais comme tu as dit. On ne sait jamais.

Brognola quitta la route des yeux pour les poser sur son ami.

— Toi, dit-il, t'as une idée pas catholique.

— Possible, acquiesça Bolan.

Puis il expliqua son plan. Très simple. Il reposait sur deux éléments essentiels. Deux éléments fournis à la fois par Pig Stacano et Harry Moses. Tous deux tentaient alors de sauver leur peau sur un dernier deal.

Brognola écouta, sourit, dit enfin :

— Si ça marche, on en saura peut-être enfin un peu plus sur le *Protector*.

Bolan laissa son regard de glace errer pensivement sur la marée de carrosseries qui défilaient autour d'eux. D'une voix sourde, il tempéra les espoirs de son ami :

— T'excite pas, Vieux. Ils ne savent jamais eux-même où il est. Mais, crois-moi, ajouta-t-il après un temps, je vais mettre le paquet.

Leurs regards se croisèrent de nouveau et ils se comprirent.

— À propos, ajouta l'Exécuteur, je voudrais que tu demandes à Necker de me briefer sur un certain Rino Grelli.

— Grelli ?

— Le *consigliere* de Samos Barra. Je veux tout savoir de lui. Jusqu'à ses ongles incarnés s'il en a.

Un silence, puis Brognola ajouta :

— Il en a sûrement.

Ce n'était pas sûr du tout, mais il y avait certainement autre chose.

CHAPITRE DIX-SEPT

— Aïe !

Sans s'occuper de la plainte, la fille en bas noirs et guêpière rouge leva de nouveau le fouet et frappa sèchement. Les lanières de cuir claquèrent sur les reins de Rino Grelli, creusant de petits sillons rouges dans la chair. Il cria de nouveau, tira sur ses poignets prisonniers des menottes et grogna :

— Plus fort, salope !

La pute leva encore le fouet, frappa de toutes ses forces. Cette fois, le sang commença à couler, et Rino Grelli se tordit dans tous les sens en se roulant sur le lit. Il poussait de petits cris d'animal, roulant des yeux égarés, transpirant par tous les pores. Il était en plein délire. Il n'avait besoin de rien d'autre pour vivre intensément. Juste le fouet. Une fois par semaine.

Rino Grelli était un *consigliere* très simple. Derrière lui, la fille invisible fit quelques bruits auxquels il fut totalement indifférent. Il avait atteint le point culminant de son plaisir et plus rien d'autre n'avait d'importance.

— Salut, Rino.

Grelli sursauta à peine. Trop épuisé. La chose dure et froide s'était enfoncée dans sa nuque et, du fond de ses abysses, il se demandait ce qui pouvait bien lui arriver. Il n'avait rien demandé de semblable à la pute.

— Ça y est, Rino? Tu me reçois?

Le *consigliere* de Samos Barra commençait à refaire surface. Il sursauta enfin légèrement, perçut le bruit métallique et terriblement menaçant d'un automatique qu'on armait et, réunissant toutes ses forces, il ouvrit des yeux embués d'épuisement. Après une espèce de hoquet ridicule, il se raidit sur le lit, tira inutilement sur ses menottes en s'exclamant:

— Qui... vous êtes qui, vous?

— Bolan, sourit l'intrus habillé de noir. Mon nom est Mack Bolan.

Rino Grelli crut que le ciel lui tombait sur la tête. Le délire sensuel et les multiples joints déjà fumés devaient lui encombrer le cerveau. Il cligna des paupières comme un oiseau de nuit ébloui et sa bouche s'ouvrit sur une exclamation paniquée qui demeura muette. L'Exécuteur lui envoya un sourire, ôta le réducteur de son du Beretta de sa nuque, pour le pointer entre ses yeux. Puis, d'une voix douce, presque amicale, il déclara:

— J'ai assommé la fille. Elle n'entendra donc rien.

— Rien de... qu'est-ce que tu veux dire?

Rino Grelli avait vraiment beaucoup de mal à se rendre à l'évidence. C'était bien le Grand fumier en personne qui était là, un flingue au bout du bras. D'un regard oblique, il localisa la pute. Allongée de tout son long sur le parquet, elle semblait effectivement très assommée. Et très inconsciente.

Pour deux cents dollars, Bolan l'avait préalablement convaincue de se laisser un tout petit peu assommer quand il surviendrait. Ce qu'elle avait finalement fort bien réussi.

— Bolan !

Ça y était. Le *consigliere* avait digéré l'événement. La peur soudaine qui figeait sa face grise en était la preuve. L'Exécuteur cessa de sourire, planta son regard d'acier dans les prunelles de Grelli.

— OK, pourri, dit-il du bout des lèvres. T'as le choix. Je sais que tu es l'homme local du *Protector*, je te tiens au bout de mon flingue et tu sais que je ne fais jamais de cadeaux. Toujours donnant-donnant. Tu peux donc peut-être survivre un peu au bordel qui va très bientôt se passer dans cette ville. Simplement en répondant à mes questions. Faute de quoi, tu crèves ici. Dans trente secondes au plus.

— Eh ! s'insurgea le *consigliere*. T'es dingue, ou quoi ?

— Tss, tss ! fit Bolan entre ses dents. Mauvaise réplique, pour quelqu'un qui touche au ciné.

Intelligent, le *consigliere* comprit que Bolan en savait beaucoup. Dépassé par les événements, il grogna :

— Tu me détaches ?

— Non.

Silence. Rino Grelli réfléchissait intensément. Et l'Exécuteur pouvait suivre son raisonnement. Il n'avait pas le choix. Il tenta pourtant :

— Qu'est-ce que c'est, cette histoire de *Protector*, ou je ne sais quoi ?

— Stop, Rino. Terrain miné.

Le *consigliere* comprit à demi-mots. Il battit des paupières, se laissa aller sur le matelas, prenant parti de la situation.

— OK. Qu'est-ce que tu veux ? questionna soudain le mafioso. Accouche. Qu'on en finisse.

Mack Bolan aimait avoir affaire à des *amici* intelligents. En général, avec eux, il y avait un peu moins de cadavres. Enfin... un tout petit peu moins. Il ne fallait pas exagérer.

— Tout, dit l'Exécuteur. Je veux tout savoir. Mais procédons par ordre. Qui est ton boss ?

— Arrête ! grinça le *consigliere*. Ça tu le sais.

— Dis-le quand même.

— Samos Barra.

— Tu mens, dit doucement Bolan. Ton boss, c'est le *Protector*. Mais on y reviendra.

— Qu'est-ce que...

— La liste, coupa Bolan. Je veux la liste complète des entrepôts, des ateliers, des bureaux, etc, où peuvent être entreposés tous les films, copies de films et vidéos de tout ce que la MCR a trafiqué pour vous.

— Mais...

— Attends, Rino. Pas d'impatience, fais-moi

seulement encore un mensonge, même un tout petit, et t'es mort. Vu ?

Le silence qui suivit fut d'une densité exceptionnelle. Les deux hommes se jaugeaient. Mais, à l'avantage de l'Exécuteur, il y avait sa légende. Et les monceaux de cadavres qu'il avait déjà faits dans les rangs de la mafia. Et puis ses méthodes étaient pleines de mystère. Grelli ne comprenait pas comment le Grand fumier avait pu remonter jusqu'à lui par la filière de cette pute. Il ignorait évidemment qu'à la *Commissione*, tout était fiché, répertorié, consigné sur tous. Il ignorait aussi que Mack Bolan avait accès à ces renseignements par le biais d'une taupe fédérale, un super flic nommé Phil Necker. Alors, comme il était complètement déboussolé, il parla.

Longtemps et beaucoup.

C'était le premier homme du *Protector* qui enfreignait vraiment l'omerta. La fameuse loi du silence. Quand il eut fini de répondre aux questions, il laissa sa tête retomber sur l'oreiller du lit et grogna :

— Pour ça, je serai flingué.

Il était en sueur, mais le plaisir du fouet n'y était plus pour rien. Maintenant, il savait que la peur ne le quitterait plus jamais.

— Comment tu as su, pour moi ? questionna-t-il, après un moment.

— On t'a vendu. Ton cousin Stacano. Et Harry Moses m'a fourni le téléphone auquel il pouvait t'appeler en cas d'urgence. Une cabine téléphonique. Juste au pied de ton immeuble. Seulement à neuf heures pile du matin.

Bolan sourit froidement.

— Pas mal, comme boîte aux lettres, apprécia-t-il. Sans ton adresse, je n'aurais jamais fait le rapprochement.

Un silence s'établit, durant lequel le *consigliere* demeura parfaitement immobile. Puis, d'une voix éteinte, il questionna enfin :

— Qu'est-ce que tu vas faire de moi, maintenant ?

Le moment crucial était arrivé. L'Exécuteur savait qu'il n'avait pas une chance sur mille, mais il déclara néanmoins :

— Tu réponds à ma dernière question, et je te renvoie vivant auprès de Barra. Avec une médaille en bronze. Une déclaration de guerre, en quelque sorte. Mais, si tu préfères te taire, mon vieux Rino, tu es mort.

Un autre silence. Plus épais. Plus dramatique. Tout se jouait maintenant pour Grelli. Mais aussi, en quelque sorte, pour l'Exécuteur. Si le *consigliere* révélait à présent la retraite de l'insaisissable *Protector*, un gigantesque pas serait fait dans sa marche solitaire contre le crime.

— Ça va, fumier, souffla enfin Grelli. Garde tes médailles à la con. Aucun homme du *Protector* ne saura jamais te dire où il est.

Mack Bolan eut un sourire un peu triste et, dans un bref soupir, il lâcha :

— Je m'en doutais. Adieu, pourri.

L'ogive brûlante du 9 mm pénétra progressivement dans le cervelet du *consigliere*, traversa sans dégâts apparents une partie de la cervelle, fit éclater un morceau de boîte crânienne au niveau du front, fit voler quelques plumes d'oreiller, avant d'aller se perdre dans les profondeurs de la literie. Cela fit juste « flop ». Le *consigliere* Rino Grelli mourut sans un cri. Comme il avait vécu. En choisissant le bon camp au départ, il aurait sans doute atteint le sommet d'une carrière tout à fait honorable et lucrative.

Ce n'était pas le cas, dommage.

Dommage aussi de n'avoir pas su, pour le *Protector*. Mais, sur ce point, l'Exécuteur ne se faisait plus guère d'illusions. Il se redressa, enjamba la jeune pute encore inconsciente, jeta quelques dollars de plus sur la table en passant, avant de quitter la minable chambre du motel. Dans la bouche, il avait un léger goût amer. Mais il devait continuer. Encore et encore. Jusqu'à sa fin, à lui. En attendant, ce blitz sur L.A. qui avait commencé de manière un peu feutrée, risquait de se transformer très vite en massacre généralisé. Une guerre digne du grand écran et des plus grandes productions. Un vrai grand cinéma. Et, puisque en fin de compte, tout se concentrait là... une pluie de sang sur Hollywood.

Jasper Blow en avait marre, de ces rondes à la noix dans des locaux vides et sinistres. Des rondes qui ne servaient à rien, vu qu'il ne se passait jamais rien. D'ailleurs, à part les photocopieurs, deux ou trois lampes de bureau et quelques milliers de mètres de pellicule, il n'y avait rien à voler dans cette partie un peu à l'écart des Studios Universal. Alors, comme toutes les nuits, Jasper Blow, gardien de son état, s'ennuyait ferme. Il se demandait aussi pourquoi on lui avait demandé d'être armé.

Lui, son boulot, c'était pas du cinéma !

— Don't move.

Jasper Blow faillit crier. En fait, sans le contact dur et glacé dans sa nuque, il l'aurait sûrement fait. Réaction viscérale. Son estomac s'était soudain révulsé et il lui semblait que son cœur lui était brusquement remonté dans la gorge.

— Pas bouger, répéta dans son dos la voix d'outre-tombe. Tu dis juste où sont entreposés les films.

Pendant ce temps, Jasper Blow se sentit délesté de son gros .38 à canon de quatre pouces. Un flingue dont il ne s'était jamais servi. Sauf au stand de tir. Une fois ou deux. Tout doucement, la panique montait en lui. Il bafouilla :

— Quels... quels films ?

Mack Bolan ne pouvait pas faire de détail. Il n'avait ni le temps, ni le moyen de sélectionner les seuls films traités par la MCR. Dès qu'il aurait lancé son action, le temps lui serait compté. Car les flics de Los Angeles ne resteraient pas inactifs longtemps. Surtout avec un Arness Morgan à leur tête.

— Tous, précisa l'Exécuteur. Je veux tous les films actuellement stockés ici. Vite.

À tout juste quarante ans, Jasper Blow en avait

assez de cet emploi imbécile. La sécurité de quelques milliers de mètres de pellicule, il n'en avait rien à fiche. Lui, une seule chose l'intéressait : les filles. Et une fois mort, les filles, c'était mort aussi.

— Tirez pas, coassa-t-il. Et arrêtez de me coller ce truc dans la nuque. Mon flingue, c'est vous qui l'avez.

Bolan recula un peu et le gardien de nuit lui fit face. Dans la petite salle de garde à peine éclairée par un fluo jaunâtre, la haute silhouette noire et le masque granitique de son agresseur lui firent immédiatement penser qu'il avait eu raison de ne pas insister.

— Alors ? insista l'Exécuteur.

Le gardien lui fit signe de le suivre et soupira :

— Je sais pas ce que vous leur voulez, à tous ces bon Dieu de films, mais suivez-moi.

Maintenant qu'il n'était plus menacé de près, il reprenait de l'assurance. Il sentait que ce grand diable en noir ne lui voulait personnellement rien de mal. Ils aboutirent dans un couloir, puis dans une grande salle aux murs tapissés d'armoires métalliques entièrement noires.

— C'est là, fit le garde. Tout le stock. Ces armoires sont climatisées à température constante pour conserver la pellicule en parfait état. Et...

— La ferme !

Ce type pourrait toujours se reconvertir dans le gardiennage de musée. Une vocation de guide. Bolan le repoussa dans un angle de la pièce, passa immédiatement au travail, en ouvrant le sac de cuir qu'il portait en bandoulière. Une noix de plastic sur chaque serrure, un détonateur dans chacune des noix, un relais de fils électriques courant de l'une à l'autre reliés eux-mêmes à une pile-batterie. Un travail qui ne prit pas plus de deux minutes. Quand il fut achevé, l'Exécuteur entraîna le garde à l'extérieur de la salle, referma la porte blindée et fit entrer les fils en contact avec les plots de la batterie. Derrière la porte, il y eut une sourde explosion qui fit vibrer la salle en compagnie du garde. Une forte odeur acide y régnait et toutes les portes des armoires métalliques étaient ouvertes, distordues, ou complètement arrachées.

— Bon Dieu ! s'exclama Jasper Blow.

Mais Bolan n'était pas là pour la conversation. Dès maintenant, il pouvait se rendre compte que l'espoir un moment nourri de pouvoir ne détruire que les stocks concernés par MCR n'était qu'une utopie. Même si chacune des œuvres était bien indiquée sur sa boîte ronde métallique, il aurait fallu des heures, voire des jours, pour opérer la sélection. Impossible. Alors renouvelant l'opération précédente de manière un peu différente, Bolan plaça une grenade explosive et incendiaire dans chaque armoire, accompagnée chacune de sa petite noix de plastic et de son fil électrique. Puis, accompagnant de nouveau le gardien à l'extérieur, il fit sauter le tout.

Cette fois, la porte blindée sauta sous le souffle et une épaisse fumée irritante jaillit de la salle en feu. Un immense brasier s'était déclaré, dévastant des milliers d'heures de programmes et des millions de dollars.

Paralysé, Jasper ne pouvait détacher son regard des terribles flammes attisées par la gélatine. Mais alors que l'Exécuteur allait disparaître, il hurla :

— Eh ! Et moi, alors ! Qu'est-ce que je vais leur dire, aux pompiers et aux flics !

Bolan revint sur ses pas, alors que partout autour d'eux des sirènes d'alarme déchiraient la nuit. Il questionna :

— Ça t'arrangerait que je t'assomme ?

L'autre grimaça.

— Ben... oui, mais pas trop fort, hein !

Alors, Bolan frappa... mais pas trop fort.

Un moment plus tard, il réintégrait le char de guerre garé le long de Lakeside, le célèbre club de golf d'Hollywood, et grimpait dans le module opérationnel. Juste à temps pour surprendre la petite lumière rouge d'appel du radio-téléphone.

— *Stricker!* fit la voix de Brognola, dès qu'il eut décroché.

Son ami avait l'air contrarié.

— Moment.

Bolan plaça la ligne sous brouillage et questionna :

— Un problème ?

— *Tu rigoles, Mack! Pas UN problème! Des millions de problèmes. Et rien que pour toi.*

— Ça va. Raconte.

Hal Brognola mit rapidement Bolan au courant

de ce que Necker venait de lui dire par téléphone et acheva :

— *Pour me dire ça, Mack, Phil a pris des risques dingues ! C'est te dire si c'est urgent. Fous le camp, Striker. Quitte cette ville dans les minutes qui viennent. Sinon, cette fois, c'est cuit pour toi. Sur ce coup, ils ont les moyens de te réduire en bouillie. Char de guerre ou pas. Juré.*

Dans les yeux de glace de l'Exécuteur, un brasier sauvage s'était allumé. Il garda le silence un moment, puis, lèvres serrées, voix plus sépulcrale que jamais, il jeta :

— OK, vieux. Je vais la quitter, cette satanée ville. Mais avant, je vais les faire pleurer, les *amici*. Des larmes de sang, ajouta-t-il, sinistre, avant de raccrocher.

CHAPITRE DIX-HUIT

Le char de guerre déboucha du freeway N° 10 par la bretelle de Centinela. Il était 23 heures, il faisait doux sur Santa Monica et les lumières de la ville se reflétaient au passage sur les fresques peintes du véhicule. Sur les grands axes de L.A., il y avait encore beaucoup de circulation. Le van passa de l'autre côté du freeway, roula jusqu'à Colorado Avenue, avant de tourner à gauche et de se diriger vers l'ouest. Il passa devant Memorial Park, parcourut environ un mile, jusqu'à Ocean Avenue qui longeait le Santa Monica Yacht Club et Seaside Park d'un côté, et le Civic Auditorium de l'autre. On était vendredi soir, et les bandes de jeunes avaient pris les lieux de plaisir d'assaut.

Le *Pulsar* était précisément un de ces lieux.

Longue terrasse bar-glacier, immenses baies vitrées, derrière lesquelles les vingt pistes de bowling étaient éclairées a giorno. Le *Pulsar* était bien connu du public pour ses cocktails exotiques et par les autorités, pour être le point de chute des dealers de tous poils. Pourtant, les descentes de flics y étaient rarissimes. La direction versait régulièrement son obole aux œuvres locales de la police, et la clientèle n'avait jamais eu le moindre ennui. Ce soir-là, justement, une foule compacte se pressait aux terrasses du *Pulsar* et la salle de bowling était pleine à craquer. Le char de guerre roula encore un peu, vint sagement s'arrêter au bord du trottoir et sa portière latérale s'ouvrit, livrant passage à un grand diable d'homme en combinaison noire. L'homme fit quelques pas sur le trottoir, puis, sortant soudain les mains de ses poches, il balança deux objets lourds et oblongs dans les vitres du bowling. Elles se brisèrent dans un fracas épouvantable, semant la panique aux terrasses. Aussitôt, le diable en noir sauta dans le van dont le moteur gronda.

Cinq secondes plus tard, dans la salle de bowling, les deux grenades explosèrent en semant la mort. Des corps furent déchiquetés, des gerbes de sang jaillirent un peu partout et des hurlements d'agonie éclatèrent un peu partout. Alors, dans l'ouverture du char de guerre, la grande silhouette noire découvrit un pistolet mitrailleur et se mit à arroser la foule d'une longue rafale de 40 cartouches, avant de réintégrer l'intérieur du van.

Sur le trottoir et aux terrasses, blessés et cadavres étaient mélangés dans le sang et l'horreur. Plusieurs témoins virent le grand mobil-home à fresques démarrer sur les chapeaux de roues et disparaître en direction de Venice District. Sur Ocean Avenue, c'était la désolation. Un décor de guerre. Mais, parmi les corps allongés, un jeune homme en chemise se releva. Sur sa poitrine, un appareil polaroïd. Blême et tremblant, il se mit à crier :

— J'ai la photo ! J'ai pris sa photo !

Le jeune homme s'appelait Denis Morse, il était photographe ambulant à Santa Monica depuis deux ans et il n'en revenait pas. Il avait réalisé un scoop !

Le char de guerre arrivait sur Fairfax Avenue. À droite, à environ un mile, les studios de CBS TV City, à gauche, par Santa Monica Boulevard, mais un peu plus loin, les studios des United Artists. Ensuite, toujours sur Santa Monica Boulevard, Technicolor Studios et, derrière le grand cimetière de Hollywood, les studios de la Paramount, de Desilu, des Producers. Plus au nord, la Columbia et 20th Century Fox. Sept objectifs dans un secteur de cinq miles sur deux. En faisant vite et avec un peu de chance, l'Exécuteur pourrait peut-être faire sauter deux ou trois dépôts de pellicule, avant que l'alerte générale sur Hollywood n'attire des milliers de flics dans le coin. De toute façon, il ne pourrait jamais détruire tous les films trafiqués de la MCR. Mais ce blitz multi-objectifs déclencherait forcément une enquête aux retentissements incalculables. Et Bolan faisait confiance à Brognola pour faire en sorte que le State Department mette son nez dans cette affaire.

Ça, c'était la partie visible de l'iceberg. Pour la partie cachée, c'est-à-dire pour ce qui concernait le stock de films non encore distribué par la mafia, l'Exécuteur s'en occuperait après. Le gros morceau. Car ce stock-là représentait la part la plus importante du « marché ». Et cette révélation-là, c'était la contribution personnelle... et involontaire du *consigliere* Rino Grelli. Lui aussi avait cru sauver sa peau sur un deal. Il s'était trompé.

Bolan tourna à gauche sur Fairfax Avenue et mit le cap sur Santa Monica Boulevard. Il allait tâcher d'atteindre un maximum d'objectifs sur les sept.

— Qu'est-ce que c'est que ce bordel ! C'était pas prévu, ça !

Henry Korth écumait de rage et d'horreur. D'un coup, il avait réalisé le piège. Car ils l'avaient bel et bien piégé. On lui avait parlé de quelques coups de feu dans divers établissements contrôlés par la mafia. Juste pour faire vrai et pour déclencher une réaction policière généralisée. But avoué, coincer Bolan le Fumier, dès qu'il pointerait le nez de son van décoré dans les rues de L.A. D'où le maquillage de ce minable van avec des fresques ressemblant à celles du char de guerre du Fumier. En réalité, il n'était pas question pour la mafia de laisser les flics mettre Bolan à l'ombre. Ils avaient prévu de se servir de la police d'Arness Morgan comme simple élément rabatteur. Pour « baliser » le parcours forcé du van et pousser ainsi Bolan dans la nasse des *amici*. Et là, ce serait le massacre. Connaissant bien les données du problème et la puissance de feu de l'Exécuteur, Korth avait apporté tous les conseils pratiques et logistiques. Son expérience du SWAT et la finesse de son plan de bataille auraient forcément raison de Bolan et de son char de guerre. En les emmenant tous deux à l'endroit exact où l'on voulait qu'ils se rendent.

Grâce à la ruse.

Théâtre final de l'opération, un ancien réservoir, comme il en existait encore dans les vieux quartiers. Un réservoir condamné que Korth avait fait remplir et recouvrir d'un dallage spécialement étudié pour s'effondrer sous le poids du char de guerre. Ainsi, le Grand fumier crèverait forcément. Soit noyé, soit en tentant de s'extraire de son char d'assaut. Car, tout autour du réservoir, des dizaines de *soldati* l'attendaient pour le hacher sur place.

Tout ça, Korth l'avait accepté. Pour vingt billets de mille. Mais là, tout était changé. En quittant le van, un des trois types qui l'accompagnaient avait balancé des grenades et tiré dans la foule. Korth avait vu le carnage par le pare-brise, tandis qu'il démarrait sur les chapeaux de roues.

Depuis, il n'arrêtait plus de hurler.

— Ta gueule! laissa soudain calmement tomber un des types de l'arrière.

— Hein!

Korth avait pilé sec sur Main Street et il s'apprêtait à s'éjecter du siège du conducteur quand le canon du Franchi LF 57 qui avait servi au mitraillage s'enfonça dans sa nuque.

— J'ai dit ta gueule, répéta celui qui semblait

commander les deux autres. Tu fais ton boulot jusqu'au bout, ou je te flingue.

— Mon boulot ! s'énerva Korth. Mais mon boulut, c'était pas...

Il s'arrêta net, réalisant un des autres aspects du piège. Ces types, il ne les connaissait pas. Il les voyait ce soir pour la première fois. Jusqu'alors, il n'avait vu que son commanditaire, le type jovial du super-market et Arness Morgan, le chef de la police de L.A. Et ces trois flingueurs appliquaient les instructions reçues. La boucle était bouclée. À cet instant, Korth se demanda même s'il allait un jour toucher l'autre moitié de son fric. Il ne pouvait joindre personne. ON l'avait toujours appelé.

Le superbe piège.

Anéanti, il se laissa retomber sur le siège, eut la tentation d'essayer de fausser compagnie aux trois autres, réalisa que c'était impossible. On ne lui avait pas donné d'arme. Lui, Korth, l'as du SWAT, la terreur des terroristes et autres preneurs d'otages, lui, le super sauveur des mauvais coups ! Il était coincé. Baisé en beauté.

— Roule, aboya la voix derrière son dos. Et pas d'embrouille. Sinon...

Il y eut un bruit de culasse que Korth connaissait bien. Alors, il consulta le plan détaillé du parcours qu'on lui avait ordonné de suivre dans les rues de L.A. et remit le van en route.

Tout ça finirait mal. Très mal. Il en était maintenant convaincu. Simplement, il ne savait pas encore comment. Il ne savait qu'une chose : le prochain lieu de massacre se trouvait sur Washington Boulevard. À moins d'un mile.

Le cauchemar.

— *Striker!*

Encore une fois, l'Exécuteur venait de regagner le char de guerre, quand le radio-téléphone s'était manifesté. De nouveau Brognola. Et Bolan n'avait eu le temps de s'occuper que d'un seul objectif sur les sept. L'United Artists. Tout allait de travers. Il enclencha le brouilleur et répondit :

— Encore un problème ?

À l'autre bout de la ligne, Hal le flegmatique poussa un véritable barrissement.

— *Fous le camp, Striker. Fous le camp très vite. Quitte la Californie.*

— Du calme ! coupa Bolan. Explique.

Brognola résuma les massacres opérés un peu partout en ville par le faux char de guerre et ajouta :

— *Un plan fantastique, Striker. Les radios, les télés ne parlent plus que de toi et de ton van. Dans dix minutes, il y aura tellement de flics dans les rues que tu ne pourras plus sortir de L.A. File vers le nord. Tire-toi!*

L'Exécuteur n'en revenait pas. Il fallait une bonne dose d'audace et d'intelligence pour monter un tel scénario. Il fallait aussi la complicité de gens tels que Korth et Morgan, sans qui une opération de police d'aussi grande envergure ne pourrait se faire aussi vite. Pour un peu, les mouvements policiers auraient commencé avant les massacres du faux char de guerre.

— *Ils vont t'avoir, Mac. Forcément!*

Ce « forcément » faisait allusion au fait que l'Exécuteur ne pourrait évidemment pas massacrer des centaines de flics pour se frayer un chemin. Alors, il serait obligatoirement pris. Seulement, pour l'Exécuteur, quitter la ville avant d'avoir fait sauter le dépôt de films trafiqués des *amici* était hors de question. Dangereux. Au loin, on entendait des sirènes de police un peu partout. L'immense mégalopole de Los Angeles semblait entièrement quadrillée par toute la police des USA. Bolan réfléchit un instant, décida enfin :

— Tu peux me rendre un petit service, Hal ?

— *Annonce. On verra.*

L'Exécuteur lui donna ses instructions et il allait couper le contact, quand soudain son regard s'arrêta sur l'écran vidéo. Il ressentit alors une désagréable morsure à l'épigastre. Cent mètres à peine devant le char de guerre, Santa Monica Boulevard clignotait de feux inhabituels.

Santa Monica Boulevard était bourré de flics.

À l'adresse de Brognola encore en ligne, il recommanda :

— Fais vite, Hal !

Il lui sembla que sa voix avait été encore plus grave que d'habitude. Il y avait de quoi. Sur l'écran vidéo, une voiture de police fonçait dans la direction du char de guerre.

CHAPITRE DIX-NEUF

À la manière d'un raz-de-marée, Bolan sentait monter en lui la rage la plus froide jamais ressentie. Sur l'écran vidéo, d'autres véhicules de police étaient apparus derrière le van. Il était foutu. Coincé. Il ne pouvait pas tuer tous les flics de L.A. sous prétexte qu'ils s'étaient fait « intoxiquer » par leurs propres autorités.

Il n'allait quand même pas se rendre non plus !

À sa droite, Rossmore Avenue. À vingt mètres seulement. Il fallait seulement y arriver avant la voiture des flics. Avant LES voitures. Car les autres fonçaient elles aussi dans sa direction. Bolan était déjà sur le siège du pilote. Il enfonça la pédale d'accélérateur et le char de guerre bondit en avant, laissant dix bons kilos de gomme spéciale sur la chaussée. Parfaitement maître de ses réflexes et de ses pensées, malgré sa rage, il analysait la situation. Impossible de se servir du canon thermique en roulant. Or, c'était le seul engin dont il aurait pu user sans mettre la vie de flics trop en danger. Simplement en faisant fondre les pneus de leurs bagnoles. Toutes les autres armes du char de guerre étaient exclues. Ce serait un carnage.

Le van arriva à l'angle de Rossmore Avenue une toute petite seconde avant la première voiture de flics. Il vira sec, mais, lancé à pleine vitesse, le véhicule de l'autorité percuta l'arrière gauche du char de guerre avec violence. Cela fit un bruit épouvantable de tôles écrasées et le van eût un sursaut de taureau aiguillonné. La sirène se tut, le char de guerre poursuivit sa route, traînant la pauvre voiture sur une dizaine de mètres avant qu'elle ne se décroche des pare-chocs blindés. Cette fois, le van était lancé. Bolan n'avait d'autre solution que celle de foncer sans lever le pied, jusqu'à l'objectif qu'il s'était fixé.

Jusqu'à Hollywood-Burbank Airport.

Heureusement que le dépôt de films du *Protector* ne se trouvait pas au Los Angeles Airport. Une vingtaine de miles... à vol d'oiseau! Distance impossible à franchir sans casse dans de telles conditions.

Le char de guerre fonçait à présent dans la 6e rue. Derrière, c'était la chasse. Soudain, à dix mètres devant, deux voitures de flics. Bolan pila, fit déraper le van sur la droite. Il heurta un véhicule de police avec une violence inouïe, le projetant contre la façade d'une banque dont la sirène hurlante vint se mêler au concert des autres. Mais l'Exécuteur fonçait toujours. Ce qu'il voulait, c'était trouver le moyen de semer la police assez longtemps pour lui permettre d'atteindre son point de contact avec Brognola. Alors, de plus en plus vite, prenant des risques inouïs pour lui et pour les autres, il fonçait dans Hollywood à la manière d'une fusée. Maintenant, des grêles rageuses frappaient le blindage et les vitres en quadriplex du char de guerre. Par endroit, le pare-brise était si « griffé » par les balles, qu'on aurait dit une pluie de graviers sur du verre normal.

Mais le char de guerre fonçait toujours.

Il harponna encore deux voitures de police, faillit percuter de plein fouet un car de touristes heureusement vide. Bolan l'évita par miracle, décrivit une boucle audacieuse qui le fit croiser le véhicule par l'avant et s'engouffrer de nouveau dans Fairfax Avenue. Derrière lui, il y eut un fracas terrible, quand les deux voitures de police qui avaient réussi à garder le contact percutèrent le car.

Bolan enfonça encore l'accélérateur. Dans son dos, les sirènes s'étaient tues, d'autres se faisaient entendre au nord. Dans sa direction. La radio des flics marchait du tonnerre. Il fallait arriver au point de contact !

Bolan était si obnubilé par ce but qu'il faillit rater l'embranchement nord qui permettait l'accès au freeway 101. En dérapage, il quitta Hollywood Boulevard, tourna à gauche et se retrouva au-dessus du freeway. Il passa le pont comme une bombe, vira sec à droite et aperçut enfin la station Texaco.

Une orgie de lumières, de bruit, de foule.

Le meilleur endroit pour passer inaperçu. Surveillant les rétros, l'Exécuteur ralentit et ce fut à vitesse réduite qu'il franchit l'allée de la station. Le cœur un peu plus rapide que d'habitude, il fit rouler le van vers le truck-parking, fouillant la masse des véhicules pour tenter de repérer Brognola.

Et il le vit. Ou plutôt, il aperçut sa Mercury. Tout au fond du parking, entre une aire de repos et le bâtiment des toilettes.

— Salut, lança Brognola d'un ton rogue, lorsqu'ils se rejoignirent. T'as pas été suivi ?

L'humour absolu ! Bolan se détendit d'un coup, demanda :

— Tu en as suffisamment ?

Pour toute réponse, Brognola ouvrit sa malle arrière. Dedans, une vingtaine d'aérosols. Des bombes de peinture. Grise. La couleur la moins repérable.

— J'ai dévalisé deux stations, plus celle-là, renseigna le fonctionnaire. On commençait à me regarder d'un drôle d'air.

Bolan sourit, lança un regard circulaire sur le grand parking, mais personne ne s'occupait d'eux. Pourtant, la chasse semblait loin de finir. Dans le lointain, les sirènes de police hululaient leurs chants lugubres. Hal s'empara d'une première bombe, la secoua énergiquement, en ôta le couvercle et lança :

— On y va ?

L'Exécuteur en prit une aussi et hocha la tête. Alors, chacun d'un côté, ils se mirent à repeindre le char de guerre.

Henry Korth n'en pouvait plus. Trop de massacres, trop de sang et trop de rage accumulée en lui. Sur ordre du « commando en chef », il venait d'arrêter le faux char de guerre dans une sorte d'impasse, du côté de Culver City. Poursuivre la mission maintenant eût été trop dangereux et n'aurait servi à rien. À en juger par le nombre de sirènes de police dans le lointain, le résultat recherché semblait largement obtenu. Où que soit garé le van du Grand fumier dans L.A., pour son propriétaire et lui, ce n'était plus qu'une question d'heures, de minutes, ou de secondes. De toute façon, pour l'Exécuteur, c'était cuit.

Mais Korth pensait à lui. Il fallait qu'il s'en tire. Alors, les réflexes, l'expérience et la science du combat jouèrent en sa faveur. Exactement au moment où le chef du commando ouvrait la porte latérale du van.

— On se tire, lança-t-il à l'adresse des deux autres. Toi, dit-il ensuite à Korth, tu viens.

Ce fut son dernier mot.

Lancé en pleine force, le pied de Korth lui envoya la tête en arrière. Cela fit un bruit de bois mort cassé, puis le crâne du pourri éclata contre l'arête de métal de l'ouverture. Dans le même temps, Korth avait saisi le Franchi et tourné le canon vers les deux autres. Complètement médusés par l'incroyable rapidité de l'attaque, ces derniers n'eurent pas le temps de réagir. Le premier encaissa une mini rafale de trois 9 mm en pleine tête, tandis que le troisième se retrouvait avec le canon du PM dans la narine gauche.

— On va se promener, souffla Korth, presque confidentiel.

L'autre roulait des yeux paniqués.

— Où ça ? chuinta-t-il, à cause du canon dans son nez.

— Chez ton boss. Chercher mon fric.

Bo n'en revenait pas. Les putes et les dealers étaient finalement plus efficaces que tous les flics de la ville réunis. Non seulement, ils avaient repéré le van du Grand fumier dès le début du blitz, mais, en un relais aussi permanent que discret, ils l'avaient mieux « suivi » que le radar le plus perfectionné. À mesure que les renseignements arrivaient par talkie-walkie de la voiture de l'autre équipe, la camionnette de Bo avait tranquillement suivi les traces du van. Alors que les flics, eux, avaient l'air de s'être paumés du côté de Hollywood. Les cons !

— Qu'est-ce qu'on fait, Bo ?

Dans la fourgonnette, les gars s'énervaient. Ils n'avaient pas sué sang et eau à répéter des centaines de fois cette fameuse scène pour rester là à ne rien faire. Ils avaient joué la mort du Grand fumier, ils voulaient maintenant se la payer en vrai.

Tout à fait légitime.

— Tant que cet enfoiré sortira pas, envoya Bo, on pourra rien faire.

Mais il n'avait pas terminé sa phrase qu'ils virent tous la portière latérale du van glisser sur son rail. L'immense Bo joua la situation à l'instinct. Lui, Bo, il allait venger son oreille coupée. Il allait tuer de ses propres mains celui qui faisait trembler la mafia depuis si longtemps.

— Go! lança-t-il à voix basse.

Ils furent tous dehors en moins de temps encore que durant les répétitions. La configuration du terrain se prêtait admirablement au scénario. Des voitures en stationnement, le van dans la partie la moins éclairée du décor. Tout y était. Les hommes de Bo se placèrent exactement comme lorsqu'ils l'avaient fait sur le plateau du studio. Parfaitement invisibles, armes aux poings. Et l'attente commença. Soudain, il y eut trois détonations rapides, et Bo eut peur de voir ses flingueurs réagir trop tôt. Mais l'entraînement avait décidément porté ses fruits. Personne ne broncha. Enfin, au bout d'un moment qui lui parut une éternité, Bo entr'aperçut une tête qui émergeait de l'ouverture du van. Prudente, la tête en question parut humer l'air, avant de disparaître pour réapparaître de nouveau. Tout à coup, deux types sautèrent à terre. L'un d'eux, le plus petit, était tenu en respect par un grand diable en noir armé.

Bolan!

Le Grand fumier était là. À moins de trois mètres de Bo. Et ce salaud avait l'air de vouloir flinguer l'autre. Dans la demi-obscurité, Bo échangea un regard avec son voisin direct et lui adressa un faible signe de tête. Celui-ci se dressa d'un bloc, pétard dissimulé. Exactement comme Bo le lui avait enseigné. Devant la porte du van, Bolan le Fumier eut un sursaut, tourna la tête et dévia instantanément son PM en direction de l'apparition. Alors, Bo jaillit de l'ombre. Deux éclairs fulgurèrent de ses manches de veste et les deux lames de rasoirs tranchèrent net le cou du Grand fumier.

Un grand fumier nommé Henry Korth.

Mais Bo ne le savait pas encore. Tandis que ses lames décidément meurtrières entamaient également le cou du « flic » qu'était censé être l'autre type, il ressentit la plus grande joie de sa sombre carrière de tueur. Il avait réussi. Le Grand fumier était à ses pieds. Secoué par les dernières convulsions de l'agonie. Cou tranché d'une oreille à l'autre, déjà vidé comme un poulet.

Son boss Dino « Star » Fracco n'ayant pas été informé du plan démoniaque du *consigliere* Grelli, il n'avait donc pas pu mettre son tueur au courant de la situation exacte.

D'où l'erreur.

Mais, pour le moment, Bo était vraiment très,

très heureux. Il avait tué Mack Bolan l'Exécuteur. De ses propres mains. Il en avait même du sang partout. Un régal!

Les pistes de l'aéroport de Burbank étaient là. Derrière les grillages, avec leurs lumières de balises et leurs mystérieuses destinations du bout du monde. Assis dans le module opérationnel du char de guerre, Mack Bolan réglait la visée sur écran de la tourelle du lance-missiles.

— Te gourre pas, souffla Brognola près de lui. C'est le bâtiment blanc. Tout au bout.

L'Exécuteur ne risquait pas de se tromper. Hal lui avait fait la même remarque au moins vingt fois depuis son retour de reconnaissance. En effet, un moment plus tôt, laissant Bolan achever les quelques raccords de peinture qui restaient à couvrir, l'homme du State Department était allé en reconnaissance du côté des bâtiments. Afin, justement, d'éviter tout quiproquo. Et sur la porte des bureaux du bâtiment en question, il avait bien trouvé la raison sociale indiquée par Phil Necker à son dernier coup de fil : United Producers. Parfaite couverture pour une entreprise visant à intoxiquer la production cinématographique. Les films étaient là. Stockés dans les armoires à température constante de l'entrepôt situé au rez-de-chaussée. Necker s'était montré formel. Comme il l'avait été sur le fait que personne ne fréquentait ces locaux durant la nuit. Même pas un gardien. Les *amici* étaient décidément bien sûrs de leur coup.

Ils allaient déchanter.

Bolan posa son index droit sur le curseur de prémise à feu, positionna la croix orangée du petit écran en plein sur le mot « Producers » de la raison sociale et, les yeux rivés à l'objectif, enfonça le curseur de mise à feu.

Au-dessus du van, il y eut une vibration étrange, et, dans le ciel de la nuit californienne, une comète de feu fulgura vers le petit bâtiment blanc. Sur l'écran vidéo, Hal Brognola vit nettement l'instant où le missile creva la façade blanche, puis, alors qu'on aurait pu croire que c'était fini, une formidable boule de feu éclata, embrasant le paysage et faisant trembler l'air au-dessus des pistes de Burbank.

— Pas mal, apprécia Brognola en se frottant les yeux de sommeil. Vraiment pas mal.

Il n'avait pas souvent assisté en direct aux tirs de missiles du char de guerre. Il était bien content d'avoir vu ça.

— On met les voiles ? demanda-t-il.

Bolan rentra la tourelle et hocha la tête.

— On continue ? insista Hal.

— JE continue, corrigea l'Exécuteur. Et je finis. Demain matin, tu pourras libérer Sheila Dobson et sa fille. Elles n'auront plus rien à craindre.

— Ouais, maugréa Brognola. Tu ferais bien de disparaître vite fait.

— J'y songe, sourit Bolan. Mais avant, je m'occupe de « Star » Fracco et de Samos Barra.

Après tout, il ne s'agissait que de deux villas de Beverly Hills à faire sauter. Pas de quoi en faire une histoire. L'Exécuteur ne dit pas à son ami ce qu'il comptait faire en tout dernier, juste avant de quitter L.A.

EPILOGUE

— Salut.

— Salut.

Assise dans son lit, fraîche comme un lys, la jeune Shere Dunn observait Bolan de la tête aux pieds. Elle fronça les sourcils, pencha la tête un peu de côté et questionna :

— Vous avez dormi avec un broyeur d'ordures ?

Il lui lança un regard étonné et alla se regarder dans la glace du cabinet de toilette. Pas rasé, pas douché et avec ses yeux rougis par l'insomnie et la tension, il avait effectivement l'air... de ce qu'il ne fallait pas, c'est-à-dire d'un mauvais garçon. Il revint dans la chambre, essaya un sourire et répondit enfin :

— Oui.

C'était vrai. Toute la nuit, il avait bel et bien broyé des ordures. D'immondes ordures nommées respectivement Fracco, Barra, Bo et tous les autres. Il en avait quasiment vidé les réserves en armement du char de guerre. Mais le résultat valait le coup. Deux villas de milliardaires transformées en champs de ruines, des tas de cadavres partout, avec du sang et des viandes *d'amici* réduites en charpie. Oui, Mack Bolan avait joué les broyeurs d'ordures. Pour que des filles comme Shere Dunn puissent vivre dans un monde un peu moins pourri.

Et il était fatigué.

— Vous avez l'air crevé.

Shere l'observait toujours, visiblement intriguée par son état. À l'*Etna*, elle l'avait déjà vu à l'œuvre, et elle devait se poser des tas de questions. Elle eut le goût exquis de n'en poser aucune.

— Ça va ? demanda Bolan.

— Ça va.

Silence puis :

— Et mon amie Suzan Geer, tu l'as vue ?

— La psy ? Sûre, qu'elle est venue. Mais pour ce qui est d'être votre amie... vous repasserez. Elle m'a dit qu'elle vous connaissait même pas. Enfin... de nom.

— Normal, fit Bolan, évasif.

— Ah bon.

— Bon, dit encore Bolan. J'espère que tout ira bien pour toi.

— Sûr.

Un peu embarrassé, il recula vers la porte en envoyant à Shere un petit signe amical.

— Il faut que je parte, expliqua-t-il.

Destination Washington. Il allait s'occuper du cas Teddy Oberlon. Le vendu de la Commission de censure. Quant à Arness Morgan, ce serait pour plus tard, mais il l'aurait aussi un jour, ce pourri-là.

La jeune Shere eut une brève mimique, qui aurait pu passer pour une expression de contrariété. Mais elle distilla bien vite son petit sourire ironique pour désigner la main gauche de Bolan.

— Et ça, gouailla-t-elle, c'est pour ma grand-mère ?

Bolan se serait battu. Encore une fois, il était ridicule... avec son petit bouquet de fleurs à la main. Il esquissa un sourire, revint vers le lit, planta les fleurs dans le col de la carafe d'eau. Il allait se redresser, quand Shere l'agrippa pour l'attirer à elle. Puis, lui déposant un petit baiser au coin des lèvres, elle souffla d'une voix étrangement voilée :

— Toi, t'es super, comme mec.

Décidément, ces jeunes étaient déconcertants !

Mais le combat de Mack Bolan continue...

L'Exécuteur avait revêtu sa célèbre combinaison noire. Le fidèle Beretta 9mm 93-R muni d'un silencieux était niché dans un holster sous son bras gauche, et l'énorme AutoMag 44 était fixé à son ceinturon de combat, contre sa hanche droite.

Pour parfaire son armement, un pistolet-mitrailleur mini-Uzi lui pendait sur la poitrine, retenu autour de son cou par une bretelle en cuir et des chargeurs pour les trois armes garnissaient les poches de sa combinaison.

Ainsi accoutré, il était l'image même de la Mort.

En se rendant sur les lieux, Mack Bolan avait souhaité une pénétration en douceur dans la propriété. Mais cela s'était révélé impossible à cause des abords dégagés qui ne lui laissaient qu'une seule possibilité : le blitz. Une attaque foudroyante avec élimination sans détail des forces adverses. C'est pourquoi il avait tant étudié les hommes aux visages sévères et hargneux qui servaient de couverture à la réunion des truands. Deux d'entre eux devaient être salement rapides, cela se voyait à leurs mouvements parfaitement coordonnés, à la façon dont ils se déplaçaient comme des fauves aux aguets dans le parc. Les autres n'étaient que des « soldats », mais ils avaient certainement été choisi parmi les *malacarni*, les mauvais entre les mauvais.

Mack Bolan, lui, était un fauve d'une espèce beaucoup plus redoutable, et infiniment plus mauvais que les soldats de la Mafia.

Il estima que le moment était venu d'entrer en action. Sans fioritures.

D'une détente, il jaillit du bosquet, parcourut environ vingt mètres en direction du parc avant de se faire repérer. Il ne s'était pas trompé, ce furent les deux hommes en marche qui réagirent les premiers. Le plus proche fit glisser frénétiquement la bretelle d'un P.-M. de son épaule et tenta de le braquer sur l'assaillant. Bolan ne lui laissa pas le temps d'ajuster son tir. Le mini-Uzi crépita rapidement entre ses mains, expédiant une giclée de 9 mm qui cueillirent le type, le cisaillant de la hanche jusqu'à l'épaule. La rafale continua son œuvre de mort en transformant la seconde sentinelle itinérante en un ridicule mannequin agité de soubresauts incontrôlables, puis cassa en deux un soldat qui venait de se détourner nerveusement. Un quatrième truand braqua une grosse pièce d'artillerie sur Bolan, réussit à tirer deux coups inefficaces avant de prendre une décoction de métal brûlant dans la carcasse. Un flot de sang jaillit de sa gorge, inondant et aveuglant son compagnon, à qui Bolan délégua les trois dernières balles du mini-Uzi qui le métamorphosèrent instantanément en cadavre, puis dégaina l'AutoMag. L'énorme pistolet automatique gronda. L'ogive blindée de .44 magnum fit littéralement exploser la tête du sixième et dernier soldat de l'équipe de protection.

D'une pression du pouce, Bolan fit tomber le chargeur de son P.-M., le remplaça par un neuf et continua de courir en direction de la maison. Au moment où il franchissait le muret d'enceinte du parc, quelqu'un à l'intérieur brisa une vitre et deux coups de feu rapides claquèrent. Une balle le frôla, une autre s'enfonça dans un arbre derrière lui. Il accéléra l'allure pour contourner la bâtisse, atteignit une petite porte dérobée qu'il enfonça d'un coup de pied, et faillit se heurter à un gros homme bedonnant qui fonçait en soufflant vers cette sortie, un .38 à la main. Bolan le reconnut immédiatement : Bobby « the Mouth » Cavallaro, l'un des grossistes en stupéfiant de la côte Est.

Achevé d'imprimer en février 1988
sur les presses de l'imprimerie Brodard et Taupin
à La Flèche (72200)

— N° d'imprimeur : 1391-5
— N° d'éditeur : 5447
Dépôt légal : janvier 1988.
Imprimé en France